D0708403

Tel.: 020 - 668 15 65

afgeschreven

— *het* —

SLIMME
REIZIGERS
HANDBOEK

— het —

SLIMME
REIZIGERS

HANDBOEK

339 TIPS VAN
ERVAREN REIZIGERS
MET KINDEREN

door **NINA WILLDORF** *en*
lezers van
BUDGET TRAVEL

Uitgeverij Verba

Niets uit deze uitgave mag worden gereproduceerd door middel van
elektronische of andere middelen, met inbegrip van geautomatiseerde
systemen, zonder voorafgaande schriftelijke toestemming van de uitgever.

www.uitgeverijverba.nl

Oorspronkelijke titel: *The Smart Family's Passport*
Vertaling: Wilma Paalman/Vitataal
Redactie en productie: Vitataal
Opmaak: Elixyz Desk Top Publishing
© 2010 Newsweek Budget Travel, Inc.
All rights reserved
First published in English by Quirk Books, Philadelphia, Pennsylvania.
© voor deze uitgave: Verba b.v., Soest, 2012
Distributie: RuitenbergBoek, Soest
NUR 510
ISBN 978-94-6097-119-8

Ontwerp: Doogie Horner en Steve DeCusatis
Productieleiding: John J. McGurk

INHOUD < < < < < < < < < < < < < < < <

Inleiding

Ik dacht altijd dat ik een slimme reiziger was, totdat ik moeder werd. De eerste keer dat we als gezin op reis zouden gaan, realiseerde ik me al tijdens het inpakken dat ik niet kon verwachten dat mijn levenslustige dochtertje tijdens de lange vliegreis netjes zou gaan slapen. Om haar rustig en tevreden te houden zou ik goed voorbereid moeten zijn. Ik dacht met speenkoorden, een overzichtelijk ingepakte luiertas en dito speeltjestas een heel eind te komen, maar de lezers van *Budget Travel* hielpen me uit de droom.

Om een reis zo gladjes mogelijk te laten verlopen is veel meer nodig: niets minder dan de door ervaring verworven wijsheid van honderden ouders. Hoe zou u anders op het idee komen om gaffertape mee te nemen voor het kindveilig afplakken van stopcontacten in hotelkamers, om babypoeder te gebruiken om zonder schuren uw kind zandvrij te krijgen, of om van tevoren een van de beperkt beschikbare babybedjes in het vliegtuig te reserveren?

Geen ouder is gelukkiger dan een die zich goed voorbereid weet bij aanvang van de vakantie met het hele gezin. Hoe u dit voor elkaar krijgt, leest u in dit boek, waarin de meest praktische adviezen van de lezers van het Amerikaanse reistijdschrift *Budget Travel* bijeen zijn gebracht en voor deze editie waar nodig zijn aangepast aan het Nederlandse publiek. De meeste ouders hebben graag wat handige ideeën en plannen van aanpak achter de hand en delen deze graag met anderen. Deze gezinseditie was dan ook een logisch vervolg op *Het slimme reizigershandboek*, dat we enkele jaren geleden uitbrachten.

NINA WILLDORF

Hoofdredacteur van

Budget Travel en budgettravel.com

HOOFDSTUK EEN

BUDGET TRAVEL

01

VOORBEREIDING:
EEN **GEZINS-
VAKANTIE**
PLANNEN

\<BT\<\<\<\<\<\<\<\<\<\<\<\<\<\<\<\<\<\<\<\<\<\<\<\<\<\<\<\<\<
9781594744488\<\<\<\<\<\<\<\<\<\<\<\<\<\<\<10

WIE WAT BEWAART, HEEFT WAT Bewaar brochures van reisorganisaties gespecialiseerd in vakanties voor gezinnen met kinderen, ook als u niet van plan bent bij hen te boeken – handig bij het zelf samenstellen van uw reis. Hierin worden kindvriendelijke hotels vermeld en kunt u ideeën opdoen voor geschikte excursies.

Chris

REISPLAN INBEGREPEN Om mijn tieners enthousiast te maken voor de vakantie laat ik hen informatie verzamelen over onze bestemming en de te volgen route. Ook vraag ik hun met ideeën te komen over wat interessant en leuk is om met het hele gezin te doen of bezichtigen. Zo komt iedereen aan zijn trekken. Op deze manier zijn we al op heel wat plekken geweest die niet vermeld staan in de doorsneereisgids.

Debbie

ROLLENSPEL In de weken voor we met onze kinderen van vier, acht en veertien een drieweekse rondreis door Europa zouden maken, speelden we een bankierspel waarbij dollars moesten worden gewisseld voor euro's en Britse ponden (een goede rekenles!). Ook heb ik een keer paella klaargemaakt en spraken we tijdens het eten alleen Spaans met elkaar.

Eileen

KAART TREKKEN Tijdens de voorbereiding van een gezinsvakantie zoek ik informatie op over onze bestemming. Op losse kaarten schrijf ik dan per bezienswaardigheid, attractie of eetgelegenheid gedetailleerde gegevens als openingstijden, prijzen en overige bijzonderheden. Uit alle kaarten maken we vervolgens een selectie. Tijdens de vakantie hoeven we dan alleen de kaarten voor die dag plus wat reserve-ideeën bij ons te hebben.

Linda

VAN VERRE Wanneer het bij ons vakantietijd is, is het in sommige delen van de wereld laagseizoen en blijkt een verre reis ineens betaalbaar. Wie zal ooit vergeten wild zwijn te hebben gegeten in Botswana terwijl thuis de bomen al kaal waren?

David

STAPSGEWIJS OP REIS Onze kinderen zijn nog in de peuter- en kleuterleeftijd. Pas zo'n twee dagen voor vertrek laten we hun foto's zien van onze vakantiebestemming. Op de dag van vertrek vertellen we hun wat de volgende drie stappen zijn: we gaan met de auto weg; we stoppen bij het vliegveld; we stappen in het vliegtuig. Telkens wanneer we een stap hebben genomen, voegen we een volgende toe, tot we zijn waar we moeten zijn. Zo blijft de reis voor hen overzichtelijk en spannend tegelijk.

Frank

TERECHTE TARIEVEN Boekt u online tickets voor uw gezin, dan kan het voordeliger zijn om losse kaartjes te kopen dan als groep te bestellen. Als er namelijk niet genoeg plaats is in de door u gekozen klasse, krijgt u vaak automatisch kaartjes voor een hogere klasse als daar nog wel voldoende plaats is. Let hier goed op, het kan u veel geld schelen.

Derk

DAG VOOR DAG Bij ons verdiepen alle gezinsleden zich in informatie over onze vakantiebestemming en krijgt ieder de kans invulling te geven aan een vakantiedag, helemaal naar zijn of haar wens. Het is een geweldige manier om iedereen geïnteresseerd te krijgen in waar we naartoe gaan. Zo hebben we al eens het lekkerste ijsje ooit gegeten en zijn we met zijn allen uit kanovaren geweest.

Melanie

TWEE IS BETER DAN EEN<<<<

Onze tienerzoon is enig kind.
We laten hem al enkele jaren een
vriendje uitnodigen om met ons
mee op vakantie te gaan. Dit is leuker
voor hem en gemakkelijker voor ons.
De ouders van het vriendje betalen
meestal de reis en de toegangsprijzen
voor de wat duurdere attracties, terwijl
wij de kosten voor onderdak, eten en
al het andere op ons nemen.

Denise

FESTIVALAGENDA<<<<<<<<

Op whatsonwhen.com vindt u een overzicht van festivals en speciale dagen in 166 landen. U kunt zoeken op maand, bestemming of thema, variërend van skate-evenementen tot een rondleiding langs de slagvelden van de Eerste Wereldoorlog.

Ramond

OP LOCATIE Als uw kinderen net als die van mij dol zijn op films, is een bezoek aan een filmlocatie een leuk idee. Wie fan is van Harry Potter heeft bijvoorbeeld de keus uit onder meer een bezoek aan het kasteel dat in de films Zweinstein verbeeldde of aan de Bodleian Library in Oxford, waar de bibliotheekscènes van Zweinstein zijn opgenomen.

James

INFORMATIEPUNT Google Documenten biedt u de mogelijkheid om informatie van het net te verzamelen en bijeen te brengen op uw eigen webpagina, die u overal waar u internettoegang heeft kunt raadplegen en waarnaar u ook uw familie en vrienden kunt verwijzen. Sommige gebruikers van Google Documenten kiezen ervoor deze voor iedereen toegankelijk te maken zodat ook anderen gebruik kunnen maken van de door hen verzamelde gegevens.

Iris

VAKANTIE OP ROLLETJES Ruim tien jaar geleden trokken we met de auto door Californië. Om de reis ook voor onze zoons – toen veertien en zestien jaar en allebei fanatieke skaters – aantrekkelijk te maken, hadden we hen van tevoren informatie laten zoeken over skateparken langs de voorgenomen route. Het werd een onvergetelijke vakantie waarbij ook de meer historische bezienswaardigheden ruimschoots aan bod kwamen.

Patty

GEKLEURDE INFORMATIE Print uw reisgegevens zoals reserverings- en telefoonnummers op gekleurd papier zodat u deze, wanneer u ze nodig heeft, gemakkelijk kunt vinden tussen alle andere papieren in uw tas.

Barbara

MET EIGEN OGEN Om een goed idee te krijgen van een mogelijke reisbestemming kijk ik op YouTube. Veel mensen plaatsen daar videobeelden van hun vakanties of reizen en deze geven vaak een redelijk reëel beeld van een stad of strand.

Robin

KIJK EN VERGELIJK Ik wilde online tickets boeken voor een vliegreis van de VS naar Europa. De vlucht naar onze bestemming werd door zowel een Amerikaanse als een buitenlandse maatschappij aangeboden. Hoewel het om hetzelfde vliegtuig en om dezelfde vlucht ging en ook de kale prijs hetzelfde was, bleek een boeking bij de buitenlandse maatschappij zo'n 100 dollar per ticket goedkoper. In totaal hebben we zo ruim 400 dollar bespaard.

Louise

ACTUEEL VOORDEEL Wilt u weten waar de dollar op dit moment het meeste waard is, check dan de website van het Office of Allowances van het Amerikaanse ministerie van Buitenlandse Zaken (aoprals.state.gov). De optie 'Foreign Per Diem Rates' geeft u informatie over de maximumtarieven in de lopende periode in hotels, restaurants en andere gelegenheden in meer dan honderd plaatsen ter wereld.

Lucas

VROEGE VOGELS Wij proberen altijd de eerste ochtend-vlucht te boeken, omdat deze vliegtuigen vaak al de avond ervoor zijn aangekomen. Daarmee is het risico op vertraging door slechte weersomstandigheden elders minimaal.

Gerard

PLAATJESBOEKEN Reisgidsen met veel foto's zijn geweldig om in de stemming te komen. Voor we op reis gaan, laat ik mijn kinderen een paar van deze gidsen doorpluizen. Zo kunnen ze zelf aangeven wat hun leuk of interessant lijkt om te doen of bezichtigen.

Jackie

MEIDENVOORDEEL <<<<<<<<

Voor 12 dollar per jaar kan iedereen die wil lid worden van de World Association of Girl Guides and Girl Scouts (wagggs.org), met vestigingen (World Centres) in Mexico, India, Engeland en Zwitserland. Tijdens mijn bezoek aan Londen heb ik als lid tegen een zeer goedkoop tarief gebruikgemaakt van de gastvrijheid van de Pax Lodge.

Anna

RESERVEER EN INCASSEER Via www.opentable.com kunt u gratis een tafel reserveren in restaurants in heel Amerika. Bovendien krijgt u voor het maken van een reservering punten waarmee u een gratis maaltijd kunt verdienen. De meeste reserveringen zijn 100 punten waard, maar er zijn er ook die u 1000 punten opleveren. Een totaal van 5000 punten staat gelijk aan een waardebon van 50 dollar, te besteden bij een van de restaurants op de site.

Lisa

IN DE PICTURE Voor ik kortgeleden op reis ging naar Puerto Rico heb ik de fotosite flickr.com bezocht en gezocht naar foto's van dit eiland. Aan de hand van de kiekjes van andere reizigers hebben we besloten waar we naartoe zouden gaan. Eenmaal aangekomen op onze bestemming was het een feest van herkenning.

Gina

GOEDKOOP GEBOEKT Als u naar Groot-Brittannië reist, kunt u aanzienlijk besparen op de kosten voor een overnachting door op een van de websites van Britse hotelketens te zoeken. Zo kunt u bijvoorbeeld op travelodge.co.uk kamers vinden vanaf 20 euro per nacht.

Amy

DE ONDERGRONDSE IN KAART Als we met de metro naar een stad gaan, vind ik het prettig om me van tevoren enigszins vertrouwd te maken met de verschillende lijnen en verbindingen. Dit kan op amadeus.net, waar u klikt op 'Trip tools' en 'Subway maps'. U kunt hier alle metroplattegronden ter wereld bekijken.

Kevin

KORTING KOPEN U kunt veel geld besparen door het kopen van kortingsbonnen of -codes op eBay of andere advertentie-sites. Er wordt van alles aangeboden, van kortingen op vliegtickets en autohuur tot toegangsprijzen voor attractieparken en musea.

Nathan

COPRODUCTIE Als we met het hele gezin op reis gaan, nemen we een reisdagboek mee waarin iedereen opschrijft wat hij of zij het liefst wil doen (het moet wel iets zijn wat we samen kunnen doen). 's Ochtends nemen we de verschillende lijstjes door en maken we een plan voor die dag. We nemen het dagboek mee en schrijven er onze ervaringen in op. Het is fijn en ook vaak grappig om alles later terug te kunnen lezen.

Cynthia

02

DE
ORGANISATIE:

DE KUNST VAN HET
INPAKKEN

<BT<<<<<<<<<<<<<<<<<<<<<<<<<<<<<<<
9781594744488<<<<<<<<<<<<<<<<10

BONTE BAGAGE Toen onze zoon en dochter nog wat jonger waren, hebben we voor elk gezinslid een reistas op wieltjes gekocht. Iedereen had zijn eigen kleur zodat we in een oogopslag konden zien of we alle tassen bij ons hadden.

Angelina

HANDIG Om onze bagage gemakkelijker te kunnen herkennen heb ik in een hobbywinkel textielverf gekocht in de kleuren rood, blauw en geel en mijn kinderen gevraagd om alle reistassen met hun handafdrukken te versieren.

Kim

VROEG IN DE VEREN Om 's ochtends zonder de hele koffer overhoop te hoeven halen schone kleren te vinden is het gebruik van hersluitbare, zogeheten ziplockzakjes ideaal. Deze zijn in verschillende maten verkrijgbaar, zodat u er een complete kledinguitrusting (shirtje, broek, ondergoed, sokken) voor één persoon in kwijt kunt.

Estelle

DIE ZIT Als uw kind oud genoeg is om rechtop te kunnen zitten, neem dan alleen een gemakkelijk opvouwbare buggy mee op reis. Bij de meeste vliegtuigmaatschappijen worden die namelijk gezien als handbagage. Zo heeft uw kind bij aankomst ook meteen een vertrouwde plek en heeft u zelf de handen vrij.

Helena

ROND DE HEUPEN<<<<<<<<

In plaats van een toilettas heb ik voor mijn zoons een heuptasje gekocht. Als ze dan hun tanden moeten poetsen of haren kammen, weten ze hun eigen spullen direct te vinden. Vooral als u gaat kamperen zijn heuptasjes zeer praktisch.

Do

MIJN EN DIJN Verdeel ieders kleren over alle koffers en reis-tassen. Wanneer u dan een tas kwijtraakt, zit niemand helemaal zonder zijn eigen spullen. Bovendien hoeft u onderweg niet telkens alle tassen uit te pakken.

Jan

ZO MOEDER, ZO DOCHTER Ik heb voor mijn dochter en mezelf een basislijst samengesteld en op mijn computer opgeslagen. Gaan we op reis, dan kijk ik eerst of de lijst moet worden bijgewerkt en print hem uit. Mijn dochter vindt het fijn om haar spullen zelf in te pakken en ik ben zo minder gestrest. De lijst is ook handig om ter controle te gebruiken wanneer we weer naar huis gaan.

Laura

VEEL OM HET LIJF In plaats van kleine spullen als batterijen, geheugenkaarten en astmapompjes los in de tas of koffer te stoppen, draag ik tegenwoordig een zogeheten safarivest: een mouwloos, katoenen vest met tal van binnen- en buitenzakken waarin je dit soort spullen goed kunt opbergen en altijd bij de hand hebt. Het mooiste is dat ik bij de controles op de luchthaven gewoon mijn vest uit kan doen en niet meer mijn zakken hoef leeg te halen.

Marc

HOME IS WHERE THE HEART IS Als we op reis gaan, laten we onze kinderen altijd een favoriete knuffel en een eigen deken meenemen. Zo lijken ze zich eerder ergens thuis te voelen.

Liz

LEKKENDE TUBES<<<<<<

Flessen en tubes met crème, shampoo
of douchegel kunnen gaan lekken.
Berg ze in een toilettas en dan nog het
liefst ingepakt in een plastic zakje. Er
zijn ook speciale, navulbare reistubes te
koop die gegarandeerd niet lekken.

Emily

GOED GEORGANISEERD<<<<<<

Ik haat het om mijn hele koffer overhoop te moeten halen wanneer ik iets
zoek. Daarom sorteer ik mijn spullen in doorzichtige zakken zodat ik
bijvoorbeeld mijn sokken en mijn
ondergoed bij elkaar heb. Het is een
soort van archiefsysteem voor koffers.

Diana

DOORGESTOKEN KAART Wanneer ik een oud pasje of lidmaatschapsbewijs heb, gooi ik het niet weg maar gebruik het plastic kaartje als bagagelabel. Ik boor een gaatje in een van de hoeken en plak aan de achterzijde een etiket met onze gegevens. Dankzij de vaak opvallende kleuren van deze kaartjes herkennen wij onze tassen meteen.

Colin

AFTELLEN Als uw kinderen al cijfers kunnen lezen, neem dan een stopwatch of teller mee. Het is verbazend hoe gemotiveerd kinderen iets doen wanneer u een wedstrijdelement inbouwt.

Nadine

VASTE BODEM Slappe tassen zijn moeilijk op een gestructureerde manier in te pakken. Wat u kunt doen is uw schoenen en andere lastig gevormde spullen onderin leggen, met daarbovenop een op maat uitgesneden stuk stevig karton. Zo heeft u een bodem gecreëerd waarop u broeken, shirtjes en handdoeken kunt leggen.

Monica

OPGERUIMD STAAT NETJES De ideale toilettas voor op vakantie is toch echt een speciale reistoilettas. Ik kan al mijn spulletjes heel overzichtelijk kwijt in de vele, verschillende vakjes, waarna hij stevig opgerold veilig mee kan in mijn tas of koffer. Bij gebruik kan ik hem zo losklikken en ophangen aan het handige haakje.

Jennifer

CREATIEF MET KURK Als u een schaar meeneemt in uw bagage, steek de scherpe kant dan in een kurk. Zo voorkomt u dat uw kinderen zich bezeren wanneer ze in de tassen graaien.

Eva

WARM KUSSEN Tijdens het pakken voor een kampeervakantie kwam ik op het idee om in plaats van kussens alleen kussenslopen mee te nemen en onze gevoerde jassen als vulling te gebruiken.

Romy

MET BEWIJS GESTAAFD De ideale houder voor watten-staafjes is een Smartieskokertje, hoewel uw kinderen absoluut teleurgesteld zullen zijn wanneer ze daarin niet het verwachte lekkers aantreffen.

Julie

JONG GELEERD... Ik laat mijn zoons al sinds ze drie jaar oud zijn zelf hun rugzak inpakken. En niet alleen met hun knuffel en spelletjes, maar ook met ondergoed en toiletspullen. Voor we op reis gaan, geef ik op de kalender aan hoeveel dagen we weggaan, waarna ze zelf kunnen bepalen wat ze nodig hebben. Zo verheugen ze zich al bij voorbaat op de vakantie en leren ze zelfstandig te zijn en hun eigen verantwoordelijkheid te nemen.

Amber

BAGAGE MET BLINGBLING In veel dierenspeciaalzaken zijn metalen naamplaatjes voor honden te koop waarin het telefoonnummer van hun baas wordt gegraveerd. U kunt zo'n glimmend plaatje ook aan uw bagage bevestigen. De standaard kofferlabels laten weleens los en als uw bagage dan zoekraakt, kunnen ze u in elk geval nog bellen.

Emma

DE NR.1: PINDAKAAS Pindakaas is het meest ideale broodbeleg voor onderweg. Het is voedzaam, gezond, houdbaar en ook met een plastic mes goed smeerbaar.

Nancy

SLIM OP DE SKI'S<<<<<

Als we op wintersport gaan, pak ik bij de ski's ook altijd een gecombineerde ijskrabber en borstel met lange steel in. In huurauto's ligt vaak hooguit een handkrabbertje en dat is wel heel minimaal als er 's nachts een pak sneeuw van 30 cm is gevallen. Wanneer anderen dan nog druk bezig zijn om met handschoenen en mouwen hun autoramen sneeuwvrij te krijgen, staan wij al bij de skilift.

Henri

WIJS MET WATER De meeste mensen zetten voor ze op vakantie gaan de thermostaat van de verwarming laag, maar hoe zit het met uw warme water? Sommige toestellen hebben een speciale vakantiestand. Het water wordt dan wel warm gehouden maar op een minder hoge temperatuur. Zo bespaart u energie terwijl u weg bent, maar kost het toch niet enorm veel energie om bij thuiskomst een lekkere warme douche te nemen.

Cecile

KAARTENOPBERGSYSTEEM Ik bewaar de door ons verzamelde kortingsbonnen in een speciaal mapje dat in het handschoenenvakje in de auto past. Ik hoef dan niet alles uit mijn portemonnee te halen om de juiste kortingsbon te vinden.

Erica

LUIEREN OP HET STRAND Een luiertas is superhandig, ook voor ouders met kinderen die al zindelijk zijn. Voor een dagje aan het strand is het dankzij de waterdichte binnenzijde de ideale opbergplek voor uw paspoort, extra kleren en handdoeken. In de geïsoleerde flessenhouder kunt u drinken koel bewaren en het opbergvak voor vies geworden babykleertjes kunt u gebruiken voor natte zwemspullen. Luiertassen zien er tegenwoordig ook heel hip uit.

Susan

VOORDEELVERPAKKING Als u geen reisformaat tubes van uw favoriete toiletartikelen wilt kopen, omdat deze relatief duur zijn, kunt u ze met behulp van een klein formaat ziplockzakjes zelf maken.

Richard

40

De kunst van het inpakken

OPVULLEN Wij hebben een slap model reistassen, wat betekent dat ze zich vormen naar de inhoud. Om er een handzaam geheel van te maken, vul ik de open ruimten op met luchtkussentjes zoals die ook gebruikt worden door postorderbedrijven.

Robert

WATERMUZIEK Als we naar het strand gaan, nemen we een doucheradio mee. Deze toestellen zijn handzaam en, wat vooral belangrijk is, bestand tegen vocht. Omdat ze bovendien niet zo heel duur zijn, is het geen ramp als we hem per ongeluk vergeten mee terug naar huis te nemen.

Mike

MULTIFUNCTIONEEL Een neopreen wijnfleskoeler is ook goed te gebruiken om breekbare souvenirs in te vervoeren of om een fles drinken in koel te houden.

Wendy

RETOUR EIGENAAR Lijm uw visitekaartje vast in de brillen-kokers van uzelf en uw kinderen. Dankzij deze simpele truc hebben we al verschillende, verloren gewaande brillen terug-gekregen.

Louis

ALTERNATIEF PILLENDOOSJE Ik heb ontdekt dat een leeg tandenfloshoudertje het ideale pillendoosje voor op reis is. Als u het spoeltje dat achterblijft eruit wipt, is er voldoende plek voor wat vitaminepillen of medicijnen.

Helen

MET PAK EN ZAK VERTREKKEN Sommige lakensets, dekbedden of regenpakken die u koopt, zijn verpakt in een zak met een trekkoord. Bewaar deze, want ze komen goed van pas wanneer u op vakantie gaat en bijvoorbeeld de schoenen van uw kinderen niet los in de koffer mee wilt nemen.

Tess

DEKSELS MOOI Als ik vroeger in een hotel verbleef, legde ik mijn sieraden altijd in een lege asbak, maar die zijn nu vrijwel nergens meer te vinden. Daarom neem ik een schoongemaakt dekseltje van een pindakaaspot mee, liefst van een opvallende kleur. Het valt op, zodat ik het niet vergeet weer mee te nemen, maar ik kan het toch hoog wegzetten, buiten bereik van mijn kinderen.

Joy

OP GEWICHT Op vakantie verzamelt u al snel meer dan de bedoeling was. Als u dan ook nog met het vliegtuig reist en u liever geen toeslag voor overbagage wilt betalen, is het handig om de spullen zo te verdelen dat geen enkel bagagestuk het toegestane gewicht overschrijdt. Uw hotel heeft misschien een fitnessruimte waar u gebruik mag maken van een weegschaal.

Nicky

HANDIG MET HAARMODE Schuif een stevig haarelastiek onderlangs het handvat van uw koffer en haal het ene uiteinde door het andere uiteinde. U heeft nu een elastieken lus waartussen u een warme trui voor onderweg of een favoriete knuffel klem kunt zetten. Zorg er wel voor dat de lus niet te ruim is.

Leonora

COOL! Mijn man draagt zijn handbagage in een koeltas. Zo hebben we op onze vakantiebestemming altijd een draagbare koelbox bij de hand, in het hotel, in een huurauto of aan het strand.

Margitte

PLASTIC FANTASTIC I Zorg ervoor dat u een aantal ziplockzakjes meeneemt van verschillend formaat. Deze hersluitbare zakjes komen altijd van pas, voor natte badkleding, het meenemen van eten voor onderweg of het beschermen van uw fototoestel tegen de regen.

Josine

SCHOON AAN DE HAAK Zelfs in de beste hotels zijn er vaak te weinig haakjes of uithangrekjes voor gebruikte handdoeken en natte zwemkleding. Ik neem daarom altijd een aantal ophanghaakjes met zuignapsysteem mee. Ze nemen nauwelijks ruimte in beslag en zijn gemakkelijk te verwijderen zonder sporen achter te laten. En ze zijn herbruikbaar.

Marie

BREED INZETBARE BALLONNEN Afgelopen zomer logeerden we bij mijn schoonmoeder, die de kinderen een zak ballonnen had gegeven om mee te spelen. Toen we weer naar huis zouden gaan en ik onze spullen wilde inpakken, kwam ik op het idee om onze toiletspullen met de ballonnen te verzegelen. Ik knipte de smalle uiteinden van een paar ballonnen af en sloot daarmee de kleinere flesjes en tubes af. De andere ballonhelften gebruikte ik voor de grotere flessen. Niet een fles heeft gelekt onderweg.

Bibi

VOUWVOORDEEL Kortgeleden gingen we met onze kinderen naar Disney World, gevolgd door een cruise met een van de Disneyschepen. Om geld te besparen hadden we voor in het park onze eigen tweezitsbuggy meegenomen zodat we geen wandelwagen hoefden te huren. Deze was echter te groot om aan boord van het schip gebruikt te kunnen worden. Daar hadden we nog een andere buggy voor, die perfect in de tas van de campingstoel bleek te passen en die we zo als handbagage mochten meenemen.

Angela

ACHT IS PRACHTIG<<<<<<<<

Als we langer dan een week weggaan,
neem ik voor acht dagen kleren mee.
Zo kan ik eerst echt van mijn vakantie
genieten voor ik weer moet wassen.

Jenny

HOOFDSTUK DRIE

GEBOREN REIZIGERS:

OP **VAKANTIE**
MET EEN **BABY**

[✈ ✈ ✈]

03

<BT<<<<<<<<<<<<<<<<<<<<<<<<<<<<<
9781594744488<<<<<<<<<<<<<<<<10

STILTE Neem als u gaat vliegen met een baby een paar extra sets wegwerpoordopjes mee, voor uw medepassagiers. Als uw baby dan gaat huilen, hoeven zij zich niet te storen als het u niet lukt uw kind rustig te krijgen. U laat zo ook zien dat de rust van anderen u aan het hart gaat.

Stefanie

PLASTIC FANTASTIC II Plastic tafelkleden die zijn verknipt in stukken van een kleine meter bij een meter vormen ideale verschoningsmatjes. Ze nemen nauwelijks ruimte in beslag in een luiertas en zijn een ware uitkomst wanneer u in een openbare ruimte uw baby of peuter moet verschonen.

Nina

ZOEK DE RUIMTE OP Als nieuwbakken moeder heb ik het grote voordeel ontdekt van niet zomaar een hotelkamer boeken. In een kamer en suite, met wat extra ruimte, een balkonnetje en een mooi uitzicht, zult u zich niet zo opgesloten voelen wanneer de baby een middagslaapje doet. Ook een klein keukentje is eigenlijk onmisbaar voor het uitkoken van de flesjes en het opwarmen van de melk.

Jennifer

PRETTIG EN VERTROUWD Toen we met ons gezin een treinreis door Zwitserland maakten, gaf ik onze jongste zoon van vier maanden oud borstvoeding. We wilden zo lichtbepakt mogelijk reizen, maar ik wilde per se het voedingskussen mee. We hebben het kussen gebruikt om er spuugdoekjes en extra kleertjes in op te bergen. Ik kon zo ook onderweg op een prettige manier mijn kind voeden en had alles wat ik nodig had bij de hand.

Karen

BLIJE BUREN Voor een gezin met een baby of jonge kinderen is een eigen appartement het meest ideale vakantieverblijf. U hoeft dan niet bang te zijn om andere gasten te storen als uw baby 's nachts begint te huilen of als uw kinderen al voor dag en dauw op zijn. Bovendien kunt u zelf koken en hoeft u niet altijd uit eten.

Britt

IN DE LUCHT Op sites als vliegenmetkinderen.nl en kidsreizen.nl vindt u tal van praktische tips voor ouders die gaan vliegen met kleine kinderen, van de voorbereiding thuis tot de aankomst op uw bestemming.

Peggy

KNIPPEN EN PLAKKEN Ik neem altijd een rol gaffertape mee, in verschillende formaten en kleuren te koop bij doe-het-zelfzaken. U kunt er uw bagage mee markeren en uw hotelkamer kindveilig mee maken. Ik gebruik het om elektrische snoeren mee weg te werken en scherpe hoeken en stopcontacten mee af te plakken, maar ook om gordijnen mee op te binden en laden van kastjes veilig af te sluiten.

Puck

NACHTBRAKERS Als u een lange vliegreis moet maken met een baby of jong kind, kunt u het beste een nachtvlucht nemen. Uw kind zal gewoon gaan slapen en raakt zo niet uit zijn ritme.

Jane

'KIJK, MAMA: ZONDER HANDEN!'

Kleine kinderen moeten meerdere keren per dag gevoed worden. Dat is niet altijd praktisch als u ergens op tijd wilt zijn. De Podeefles biedt dan uitkomst, een handsfree babyfles met tussen fles en speen een lang, flexibel rietje. De fles kunt u met een klittenbandje aan auto- stoel of wandelwagen bevestigen. Uw kind zit zo tevreden met de speen in de mond en u heeft uw handen vrij.

Melissa

VERSCHONINGSGROND Vraag voor u een vlucht boekt of er aan boord een commode is en neem in geval van nood een verschoningsmatje mee. Het beste is om voor de zekerheid vlak voor vertrek, op het vliegveld, uw baby nog even te verschonen.

Felice

LICHT SLAPEN Voor een rondreis door Europa met onze peuterdochter hadden we een lichtgewicht babybedje gekocht. Eigenlijk meer een uitklapbaar tentje met opblaasmatrasje en dus veel eenvoudiger mee te nemen dan een doorsnee camping-bedje. Deze lichtgewicht bedjes passen vaak zelfs in een rugzak. Zo kon onze dochter overal waar we waren in een vertrouwd bedje slapen, waardoor ze zich veel meer op haar gemak voelde.

Bob

BIJ TOERBEURT Als u een lange vliegreis maakt met een baby of jong kind, reserveer dan twee in plaats van drie zitplaatsen naast elkaar en de derde in de rij erachter. Zo kunt u elkaar als ouder afwisselen in de zorg voor uw kind.

Alice

ZOETHOUDERTJE Ik gaf mijn dochter tijdens het stijgen en dalen altijd een lolly. Het leidde haar af en door het zuigen en slikken had ze minder last van druk op haar oren. Bij een landing gaat het er soms echter nogal schokkerig aan toe. Laat uw kind de lolly daarom niet in de mond nemen op het moment dat het vliegtuig de grond raakt.

Jolanda

RECHTSTREEKSE REIS<<<<

Onderweg naar de Azoren kwamen
we erachter dat er meer nadelen
dan voordelen kleven aan een reis
in meerdere etappes met een baby of
peuter. Het is voor iedereen gewoon-
weg te vermoeiend. We zoeken nu
naar bestemmingen die zonder over-
stappen te bereiken zijn of maken
een tussenstop van enkele dagen.

Margaret

VAARWEL, VOLKSVERHUIZING Toen we voor het eerst met onze kinderen op vakantie gingen, vertrokken we bepakt en bezakt met luiers, flesvoeding en allerlei andere baby- en peuterspullen. Om onszelf die last te besparen, nemen we tegenwoordig slechts mee wat we voor de reis nodig hebben en kopen de rest ter plekke. Eventuele grote spullen zoals een buggy, bedje of autostoeltje huren we op onze plaats van bestemming.

Mandy

BOEK EEN BASSINET De beste uitvinding in de geschiedenis van de gezinsvakantie is het bassinet, een babybedje in de vorm van een hangmatje. Deze bedjes zijn echter niet altijd aan boord en zijn ze dat wel, dan is het aantal vaak beperkt. Informeer er daarom van tevoren naar en reserveer er tijdig een. Onze dochter van veertien maanden heeft er heerlijk in geslapen en kon zittend ook naar buiten kijken. En ik heb voor het eerst sinds lange tijd weer eens ongestoord kunnen eten.

Andrea

EXCL. BADEENDJE Het is als ouders soms moeilijk om op vakantie een geschikte plek te vinden om uw baby of peuter te wassen. De douche is nog geen optie en de vaak kleine wasbakken zijn niet geschikt om als badje gebruikt te worden. Onze oplossing was de aanschaf van een opblaasbaar badje. Niet duur en gemakkelijk mee te nemen. Zet het in de douche en u heeft een kant-en-klaar, veilig kinderbadje.

Belle

DE EERSTE VLIEGMIJLEN Je bent nooit te jong om te sparen. Vraag bij het betalen van de vliegreis na of ook het voor uw kinderen betaalde bedrag in airmiles wordt bijgeschreven. Als u ze zelf niet gebruikt, kunt u ze aan een goed doel doneren.

Tom

OPPASSEN <<<<<<<<<<

Waar we ook naartoe gaan, van tevoren ga ik altijd op zoek naar een betrouwbare oppascentrale. We kunnen er dan een keer met zijn tweetjes op uit en de afwisseling van eens met een ander spelen doet ons kind vaak goed.

Lara

HOOFDSTUK VIER

BUDGET TRAVEL

DE AUTORIT:
**TACTIEKEN VOOR
ONDERWEG**
(04)

<BT<<<<<<<<<<<<<<<<<<<<<<<<<<<<<
9781594744488<<<<<<<<<<<<<<<<10

SLA JE SLAG Met een gezin van zes personen zijn tussendoortjes in de auto onontbeerlijk. Eén keer had ik alleen nog maar een krop ijsbergsla over, en ik besloot daar dan maar wat van uit te delen. Tot onze verbazing vonden de kinderen het heerlijk. Een geweldige manier om ze wat groente te laten eten, het kruimelt minder dan chips en maakt minder dorstig. Sindsdien vragen onze kinderen me altijd om wat knapperige groenten mee te nemen.

Sandra

VOORKEURNUMMERS Voor de heen- en de terugreis van onze vakantie vorig jaar, waarbij we tien uur in de auto moesten zitten, hadden we een cd gebrand. Iedereen mocht een aantal van zijn favoriete nummers uitzoeken, die we vervolgens hebben gedownload. Telkens als we nu een van deze liedjes horen, komt het vakantiegevoel weer terug.

Rex

HOUD ZE BEZIG Met een lange autorit voor de boeg is het handig om wat speeltjes voor uw kinderen in te slaan. Maak er kleine cadeautjes van en geef ze een voor een met van tevoren afgesproken tussenpozen (om de 100 km, om het uur of bij een bepaalde plaats). Koop geen lawaaierig speelgoed, maar dingen als uitwasbare stiften, kleurboeken, raamstickers, vingerpoppetjes en reisspelletjes.

Eva

TAFELTJE DEKJE Pak een koelbox in met broodjes en beleg, fruit en wat te drinken. Stop onderweg bij een picknickplaats of wegrestaurant en ga lekker buiten op het gras zitten om uw eigen eten te nuttigen. Het is goedkoper dan iets bestellen in het restaurant en uw kinderen kunnen zonder iemand tot last te zijn de benen strekken.

Laurence

HOORT, ZEGT HET VOORT Neem eens een luisterboek mee voor onderweg. De meeste boekwinkels en bibliotheken hebben een ruime keuze aan titels. Vooral kinderboeken worden vaak met veel afwisseling van stem of door meerdere mensen voorgelezen, wat het ook voor kinderen gemakkelijk maakt geconcentreerd te blijven luisteren.

Patty

BINNEN BEREIK Hang schoenenopbergzakken aan de achterzijde van de autostoelen en gebruik de verschillende vakjes voor het opbergen van knuffels, boeken, spelletjes en speeltjes van uw kinderen. Zo hebben ze al hun favoriete spulletjes onderweg bij de hand, wat een hoop ergernis voorkomt.

Amanda

EEN HAALBARE KAART<<<<<<<

Om onderweg naar onze bestemming
in het buitenland niet telkens met
de overbekende vraag 'Zijn we er
al' geconfronteerd te worden, geef
ik mijn kinderen ieder een kaart
waarop ik de route heb uitgetekend.
Zo kunnen ze zelf, aan de hand van
plaatsnamen en borden langs de weg,
bijhouden waar we zijn en hoever
we nog moeten rijden.

Julian

PAK UW VOORDEEL Google op 'rental-car discount codes' en u krijgt een reeks van websites die 'doorlinken' naar actuele kortingen bij verschillende internationale autoverhuurbedrijven. U maakt kans op korting per plaats, periode of leeftijdscategorie.

Max

PLASTIC FANTASTIC III Ik ga met elk kleinkind dat twaalf jaar is geworden twee tot vier weken met de auto op pad. Veel ruimte voor bagage is er niet en dan is efficiënt inpakken belangrijk. Ik doe onze kleren en wat hapjes voor onderweg in plastic dozen die precies achter in mijn auto passen. Verder nemen we allebei een kleine tas mee waarin we elke avond de spullen doen die we die nacht en de volgende dag nodig hebben. Zo hoeven we nooit zware koffers hotels in en uit te slepen.

Noëlle

ALLEEN MAAR LOGISCH Na een lange autorit is een stopplaats met een speeltuin natuurlijk veel leuker voor kinderen dan een stopplaats met een mooi uitzicht. En als ze een uur lang naar hartenlust hebben kunnen schommelen en glijden, zullen ze meer in de stemming zijn voor wat rustiger vermaak van uw voorkeur.

Christy

DAG DEGELIJKHEID In onze eigen auto zit een groot, zwaar en zeer degelijk autostoeltje dat we in eerste instantie ook met ons meesleepten op vliegvakantie om in een huurauto te gebruiken. Daar zijn we snel van teruggekomen. Voor op reis hebben we nu een betrouwbaar, lichtgewicht stoeltje dat ook goed van pas komt wanneer we de auto van vrienden lenen of met anderen meerijden.

Alwina

SPELLETJES VOOR ONDERWEG<<<

Niets is zo leuk als onderweg met het hele gezin ouderwetse spelletjes doen als gele, groene of oranje auto's tellen, 'geen ja en geen nee', titels van liedjes raden of met z'n allen meezingen met een cd met meezingnummers.

Finn

KANT-EN-KLAAR<<<<<<

Als alternatief voor een tussentijdse
maaltijd in een wegrestaurant kunt
u even de snelweg verlaten en een
supermarkt in gaan voor wat handige
pakjes drinken, een paar stuks fruit en
voorverpakte sandwiches. Niet alleen
goedkoper, vaak ook veel verser!

Teresa

ONZE EIGEN ODYSSEE Voorafgaand aan een lange reis zoek ik naar spelletjes voor onderweg, verzamel ik gegevens over de plaatsen waar we naartoe gaan en maak ik een lijst van bezienswaardigheden. Vervolgens schrijf ik, per plaats of streek, alles op papier en verzegel het vel met een sticker. Aangekomen bij de betreffende plaats of streek mogen de kinderen het zegel openen. Dit maakt de reis voor hen interessanter en leerzaam.

An

LET OP DE BORDEN Als u met de auto een rondreis maakt, is het een goed idee om telkens wanneer u een provincie- of staatsgrens passeert een foto te maken van het bord 'U verlaat nu …' of 'Welkom in …'. Zo weet u later precies welke foto's u waar heeft genomen en stimuleert u uw kinderen om onderweg op de borden te letten.

Cindy

UITDEELZAKJES <<<<<<<<

Voordat ik met mijn kleindochter naar een ver attractiepark reed, heb ik een aantal verrassingszakjes voor haar gemaakt. Op de buitenkant van de zakjes tekende ik goed herkenbare plekken waar we onderweg langs zouden komen. Als we dan een van die plekken passeerden, mocht ze het betreffende zakje openmaken. Hierin had ik wat lekkers en een speeltje gestopt.

Odette

BIOSCOOP OP WIELEN<<<<<<

Zoals u aan boord van een vliegtuig film kunt kijken, kunt u ook uw auto omtoveren tot bioscoop. Met een draagbare dvd-speler met een enkel of dubbel scherm en een 12 voltaanslui-ting kunnen uw kinderen onderweg heerlijk genieten van een film.

Vincent

ETEN EN SPELEN Het is het mooiste als u een wegrestaurant vindt met speelgelegenheid voor kinderen. U kunt dan zelf wat gaan eten en voor uw kinderen wat laten inpakken, zodat ze dat onderweg rustig kunnen opeten. Iedereen kan dan helemaal voldaan de reis vervolgen.

Jody

WOORDGRAPJES Dat we zulke goede herinneringen bewaren aan onze autovakanties met de kinderen komt vooral door de woordspelletjes die we onderweg deden. Schrijf of neem van tevoren een verhaal op en laat daarbij woorden weg. Onderweg laat u uw familieleden de ontbrekende woorden invullen. Het resultaat is vaak hilarisch. U kunt ook een bekend liedje gebruiken, waarbij het kan gebeuren dat 'Drie kleine kleutertjes' verandert in 'Acht luie dondertjes'.

Eveline

DVD-DUUR Toen onze kleinkinderen een keer vroegen hoelang de reis nog zou duren, zeiden we: 'Nog twee films' (zo'n vier uur dus). Ze vonden het een geweldig antwoord en hebben vervolgens niet een keer meer gevraagd hoe ver het nog was. Sindsdien gebruiken we voor een autorit altijd een tijdrekening in films.

Cindy

ORDE OP DE ACHTERBANK Tijdens meerdaagse autoritten met het gezin wordt het algauw een janboel. Om dit te voorkomen geef ik mijn kinderen ieder een plastic opbergbox voor de dingen die ze onderweg bij zich willen hebben. Alles wat ze niet gebruiken, moeten ze ook daarin weer opbergen. Zo blijft het op de achterbank netjes en leren ze dat ze verantwoordelijk zijn voor hun eigen spullen.

Amelie

BUIKLANDING Als we met de auto op vakantie gaan, vertrekken we heel vroeg in de ochtend. De kinderen slapen dan nog een uurtje of twee door voor we ergens stoppen voor een goed ontbijt. Rond lunchtijd proberen we bij een park of speelveldje te stoppen, zodat de kinderen even flink stoom kunnen afblazen. Aan het eind van de dag stoppen we op tijd bij een hotel zodat we nog een lekkere duik in het zwembad kunnen nemen.

Lila

VOOR MENS EN DIER Neem een frisbee mee op reis: zowel voor kinderen als honden leuk om mee te spelen. Bovendien kan hij onderweg dienstdoen als drink- en voederbak voor uw viervoeter.

Donna

KASTJE MET KORTING<<<<

Kortingsbonnen voor McDonalds bewaar ik steevast in het dashboardkastje in de auto. Als we onderweg zin hebben in frites en hamburgers, checken we eerst onze voorraad kortingsbonnen.

Rebecca

SPRING JE SUF Neem voor ieder van uw kinderen een springtouw mee. Tijdens een stop onderweg kunnen ze dan naar hartenlust springen en raken ze flink wat energie kwijt. En de kans is groot dat ze eenmaal terug in de auto zo in slaap vallen.

Simon

COSTCO BESPAART KOSTEN Kijk voor u een auto huurt eerst eens op de website van costco (costco.com), een in Amerika, Groot-Brittannië en Australië gevestigde groothandel die ook voor huurauto's aantrekkelijke tarieven hanteert.

Paul

DE JUISTE DOSERING Het is belangrijk niet al uw kruit tegelijk te verschieten. Mijn methode is om alle leuke dingen een voor een te presenteren: wanneer mijn kinderen een film kijken, krijgen ze niet ook iets te eten erbij, en zijn ze aan het eten, dan mogen ze niet tegelijk kleuren of tekenen.

Junji

CENTRALE VERZAMELPLAATS Geïsoleerde bekerhouders zijn niet alleen handig om drinken warm of koud te houden. U kunt hierin ook goed potloden en gummetjes of ander klein spul dat in de auto snel zoekraakt bewaren.

Sam

BELASTINGVOORDEEL Huurt u een auto op het vliegveld, dan zijn de tarieven, door de extra belastingen die betaald moeten worden, vaak hoger dan wanneer u elders huurt. Vaak kunt u het bovendien zo regelen dat het autoverhuurbedrijf u van het vliegveld ophaalt. Zo hebben wij ooit meer dan vijf tientjes uitgespaard.

Diane

BEPAKT EN BEZAKT Als we ver weg gaan met de auto, pakken we de koelbox vol met kaas, crackers, yoghurt, flesjes water, druiven, appels en andere gezonde dingen die we lekker vinden. Ook papieren zakdoekjes, plastic bekertjes en bestek, een goed zakmes en aspirines zijn onontbeerlijk. Handig is verder nog een opbergdoos, waarin ik alle brochures en steden- en streekinformatie bewaar.

Jackie

HANDIGE PAS OP DE PLAATS Met een tankpas van een internationaal vertegenwoordigde brandstofmaatschappij als BP kunt u ook in het buitenland voordeliger tanken en gebruikmaken van alle overige voordelen voor vaste klanten.

Roberto

SLIM VERZEKERD Ik plak altijd een gemakkelijk verwijderbare bumpersticker op onze huurauto, zodat deze voor dieven minder opvalt als een auto van toeristen.

Lex

HOOFDSTUK VIJF

LUCHTHAVENS EN VLIEGTUIGEN:

EEN VLIEGREIS MET JONGE KINDEREN

5

Een vliegreis met jonge kinderen

ALS LAATSTE AAN BOORD... Hoewel het geweldig is dat vliegtuigmaatschappijen ouders met kleine kinderen de mogelijkheid bieden om als eersten aan boord te stappen, zit u wel algauw een halfuur langer dan nodig in een krappe ruimte. Wij doen het zo: mijn man stapt met alle spullen bij de eerste oproep in, terwijl ik samen met onze dochter tot de laatste oproep in de wachtruimte blijf, waar ze vrij kan spelen. Tegen de tijd dat wij instappen, ligt haar kleurboek klaar en kunnen we zo gaan zitten.

Ingerlise

...OF JUIST ALS EERSTE Wij stappen steevast bij de eerste oproep in, wanneer het vliegtuig nog lekker leeg is. Samen met de kinderen rustig onze plaatsen opzoeken en ons installeren is mij meer waard dan die paar minuten extra tijd in de wachtruimte.

Mirella

KAMPEREN IN DE LUCHT Om voor uw kinderen wat rust en ruimte te creëren in het vliegtuig kunt u een deken vastklemmen tussen het opklaptafeltje en de hoofdsteun. Zo zit uw kind knus in een 'tentje' en zal hij eerder geneigd zijn een dutje te doen. Het was voor ons een uitkomst toen we een keer zes uur lang moesten wachten voor we konden opstijgen. Onze zoon is inmiddels wat ouder, maar geniet in het vliegtuig nog altijd van zo'n tentje.

Roy

FILMMARATHON Voor vertrek mogen onze kinderen zelf uitzoeken welke dvd's ze onderweg willen zien. We nemen goede koptelefoons mee, zodat ze de rest niet tot last zijn, en zeker ook de accu voor gegarandeerd acht uur kijkplezier!

Judith en Dick

AFLEIDINGSTACTIEK <<<<<

Geef kinderen van drie of vier jaar een eigen rugzakje. Doe hierin wat lekkers en verrassinkjes voor onderweg. Vergeet niet ook een paar vertrouwde dingen van thuis in te pakken. Doe voor wat oudere kinderen een notitieboekje erbij in en stimuleer ze een reisdagboek bij te houden.

Tania

IEDER ZIJN DEEL Neem als ouders allebei een tas onder uw hoede, met in de ene alle praktische zaken (luiers, doekjes, tussendoortjes) en in de andere alle vermaakzaken (potloden, spelletjes, boeken). Zo hoeft u niet tussen de luiers te zoeken naar het kwartetspel.

Vanessa

CAPTAIN SPEAKING Als piloot nodig ik de jongste passagiers altijd even uit in de cockpit als het vliegtuig aan de grond staat en de loopbrug is vastgekoppeld. Ik weet nog hoe spannend ik het als kind vond om naar het vliegveld te gaan. Als u een speciaal logboek voor uw kinderen maakt, kunnen de piloten hierin wat vluchtgegevens noteren en hun handtekening zetten.

Ed

SLEPEN OF GESPEN Voor kinderen ouder dan twee jaar moet een eigen stoel worden gereserveerd. Hierop mag u een eigen autostoeltje plaatsen, mits dat is voorzien van een officieel keurmerk en tussen de armleuningen past, wat zeker niet altijd het geval is. Tijdens het stijgen en dalen kunt u ook gebruikmaken van de speciale veiligheidsgordels voor baby's en kinderen. Vraag het cabinepersoneel hiernaar.

Jamie

VERDEEL EN HEERS De vier plekken die we nodig hebben, proberen we altijd te verdelen over twee opeenvolgende rijen. Zo hebben onze beide zoons een plaatsje bij het raam en zitten we toch zo dicht bij elkaar dat we met elkaar kunnen praten en speelgoed en versnaperingen kunnen uitwisselen. Het heeft ons enkele vluchten met een hoop gedoe en gezeur gekost om tot deze logische oplossing te komen.

Veronique

OORAPPELTJE<<<<<<<<<<<<<<

Om oorpijn tijdens het dalen te voorkomen kunt u het beste een goede,
harde appel eten. Wanneer u hiermee
zo'n 25 minuten voor de verwachte
aankomsttijd begint, kan zich door het
kauwen en slikken geen druk in uw
oren opbouwen. Ik ben zelf piloot en
bij mij helpt het altijd.

Steven

SPECIALE BESTELLING Wanneer we als gezin een vliegreis maken, bestellen we altijd een speciale maaltijd (bijvoorbeeld koosjer of glutenvrij). Deze maaltijden worden namelijk vaak het eerst geserveerd, zodat een van ons vast kan eten terwijl de ander zich met de kinderen bezighoudt. Als dan de gewone maaltijden worden gebracht, kan degene die al gegeten heeft de kinderen helpen bij het eten.

Sarah

HANDIG INSTAPPEN In sommige landen zijn de vliegtuig-controles zo streng dat zelfs kinderen hun schoenen moeten uittrekken. In plaats van schoenen met veters is het handiger om uw kinderen instappers of schoenen met klittenband aan te trekken.

Gerard

VOLLEDIGE GEGEVENS Een paar jaar terug, toen we een vliegreis maakten met onze twee kleinzoons, bleek de indeling van de zitplaatsen te zijn gewijzigd en zaten we gescheiden van hen. Later werd ons verteld dat het verstandig is om bij het boeken de leeftijd van meereizende kinderen te vermelden. Wanneer er dan door omstandigheden geschoven moet worden, probeert men in elk geval kinderen en ouders of andere familie-leden bij elkaar te houden.

Ester

UFO'S Als steward sta ik versteld van de hoeveelheid spullen die passagiers achterlaten. Het meeste komt nooit terug bij de eigenaren, omdat we niet kunnen achterhalen van wie het is. Ik raad u dan ook aan om al uw spullen direct na gebruik weer in uw tas op te bergen en niet op de grond te leggen of in het opbergvak van de stoel voor u. Zet uw naam en adres op spullen die belangrijk voor u zijn, zodat we contact met u kunnen opnemen als u ze toch vergeet.

Gino

BLIJF ZITTEN WAAR JE ZIT<<<<<<<<<<<<<<

Het meenemen van een eigen auto-stoeltje levert de nodige problemen op. Behalve als u een TOTEaTOT heeft aangeschaft (toteatot.com), een handig mechanisme waarmee u een auto-stoeltje aan een koffer op wieltjes kunt vasthaken. Zo zit uw kind comfortabel in een stoeltje, hoeft u niets te tillen en heeft u uw handen vrij.

Irene

EEN GOED BEGIN Toen onze dochter Ella twee jaar was, was ze onafscheidelijk van haar knuffel Elmo. We maakten ons zorgen hoe ze zou reageren als Elmo bij de veiligheidscontrole op het vliegveld door de scan zou moeten. Enkele weken voor vertrek is mijn man begonnen Ella erop voor te bereiden door erover te praten alsof het een groot avontuur zou zijn voor Elmo. Eenmaal bij de veiligheidscontrole zette Ella Elmo met het grootste vertrouwen op de band voor zijn fotootje.

Ingrid

IN HET ZICHT Voorafgaand aan een lange vliegreis download ik een aantal van onze favoriete tv-programma's op een iPod. Opdat onze kinderen handsfree kunnen kijken, zet ik de iPod klem in een drinkbekertje op het uitklaptafeltje. Het schermpje bevindt zich dan op de juiste kijkhoogte.

Kristi

MOEDERS GEZOND VERSTAND We zorgen altijd dat we voldoende lekkernijen en belegde broodjes bij ons hebben voor onderweg. Verder nemen we in onze handbagage wat extra kleren voor de kinderen mee, medicijnen en (als we naar het water gaan) onze zwemkleding. Ook als onze bagage niet op tijd arriveert, kunnen wij tenminste direct met onze vakantie beginnen.

Mike en Anna

LUISTERPLEZIER Nu de vliegmaatschappijen overal extra kosten voor rekenen, komen oude koptelefoons nog goed van pas. Toen mijn dochter met haar gezin een lange vliegreis maakte, heb ik mijn kleinkinderen van drie en vijf mijn koptelefoon gegeven. Zo konden ze zelf naar muziek luisteren en had niemand er last van als ze aan de knopjes zaten.

Sophie

AAN DE GROND Toen ik ontdekte dat we tijdens onze vlucht een tussenstop van vier uur moesten maken, rond etenstijd, ben ik gaan googelen. Ik vond een site met daarop een plattegrond van alle restaurants, winkels en pinautomaten op de betreffende luchthaven.

Patty

ZELLUF DOEN Al toen ze vier jaar waren, hadden mijn kinderen hun eigen reistas op wieltjes, waarmee ze trots op de luchthaven rondliepen. Zodra ze konden lezen, heb ik hun een lijst gegeven met dingen om in te pakken. Aan de hand daarvan mochten ze zelf kiezen welke kleren ze meenamen.

Sarah

KENNIS VAN KILO'S <<<<<<<<<

Als u gaat vliegen met een voor u
onbekende maatschappij is het verstandig om van tevoren te informeren
naar de hoeveelheid bagage die u mee
mag nemen en wat de kosten zijn voor
overbagage. Uit ervaring weten wij bijvoorbeeld dat op plaatselijke vluchten
in Frans-Polynesië zelfs de handbagage
wordt gewogen.

Hunter

REDDERS IN NOOD Ik werk als steward bij een maatschappij die veel vliegt in de bergen. Omdat we vaak te maken krijgen met turbulentie, heb ik altijd wat pepermuntjes bij me, die ik ook uitdeel aan passagiers die luchtziek dreigen te worden. Pepermuntolie is een van de beste natuurlijke verlichtingsmiddelen bij een overgevoelige maag.

Chris

REN JE ROT Voordat u aan boord gaat, kunt u uw kinderen beter als gekken rond laten rennen in een lege gang of ongebruikt deel van de wachtruimte dan van hen te verlangen rustig te wachten. Als ze flink hebben kunnen dollen, zullen ze het alleen maar fijn vinden om tijdens de vlucht weer wat energie op te kunnen doen.

Suze

HOOFDSTUK ZES

THUIS IN DEN VREEMDE. 6

UW VERBLIJF

SLAAP ZACHT Jonge kinderen hebben door de overgang naar een vreemde omgeving soms moeite met in slaap komen. Het kan dan helpen om een kussensloop van thuis mee te nemen, liefst met een favoriete figuur als Nijntje of Winnie de Poeh. De hotelkamer zal zo een stuk vertrouwder voor hen lijken.

Isa

WAT IS VAN WIE Als we met het hele gezin op pad zijn, nemen we allemaal een wasknijper mee waarop we met watervaste stift onze naam hebben geschreven. Deze bevestigen we dan aan onze eigen handdoek, zodat iedereen weet welke handdoek bij wie hoort.

Linette

ALLES DRAAIT OM TIMING Koop voor u met jonge kinderen op reis gaat alvast voor elk een cadeautje (zonder geluid). Bij aankomst in het hotel roept u uw kinderen bij u en geeft ze hun 'vakantiecadeautje'. Terwijl zij zich met hun nieuwe speeltje vermaken, heeft u de handen vrij om rustig uit te pakken. Bovendien hebben ze nu al een souvenir, zodat u niet iets hoeft te kopen waarvan u al bij voorbaat weet dat ze er niets aan hebben.

Nathalie

IN DE HOEK Toen we voor het eerst samen met ons tweejarig zoontje in een hotel verbleven, werd hij vaak vroeg wakker en wilde dan spelen. Tegenwoordig nemen we een lichtgewicht, opklapbaar strandtentje mee, zetten het in een hoek van de hotelkamer op en richten het in met wat boeken, speeltjes, knuffels en een dekentje. Zo heeft hij zijn eigen 'kamer' en kunnen wij nog even verder slapen.

Björn

ROOMSERVICE Toen mijn moeder en ik een weekje in New York waren, kwamen we na een lange dag door de stad te hebben rondgelopen uitgeput terug in ons hotel. Ik had mijn laptop bij me en kon als hotelgast gratis gebruikmaken van WiFi. Op menupages.com kon ik de menukaarten bekijken van verschillende restaurants in de buurt die ook maaltijden bezorgen. Ideaal voor ons, en zeker ook voor een gezin met kinderen.

Jessica

COOL PRIKBORD Koelkastmagneten werken vaak ook op de binnenkant van hotelkamerdeuren. Zo maakt u heel gemakkelijk een 'prikbord' voor memo's, toegangskaartjes voor attractieparken of theatervoorstellingen, routebeschrijvingen, enzovoort. Zo heeft u elke dag snel de benodigde papieren bij de hand.

Karin

ALLEEN WATER TOEVOEGEN Voor in hotels waar we alleen voor de overnachting betalen, neem ik altijd een pak havermout mee. Op de meeste hotelkamers staat wel een waterkoker of koffiezetapparaat. In de koffiekopjes mengen we de havermout met wat gekookt water en voor de zekerheid neem ik plastic lepels mee. In een mum van tijd hebben we goed ontbeten en kunnen we lekker vroeg op pad.

Josefine

CHEZ NOUS Wanneer we met het hele gezin op vakantie gaan, huren we het liefst een vakantiehuisje of -appartement. Qua geld bent u vaak zelfs goedkoper uit dan in een hotel. Bovendien hebben de kinderen alle ruimte om te spelen en heeft u een eigen keuken, zodat u lekker relaxed in uw pyjama kunt ontbijten.

Sara

RESORTGAST<<<<<<<<<<<

Ook als u geen hotelgast bent, kunt u met een bezoekerspas gebruikmaken van de recreatiemogelijkheden van een hotel-resort. Tegen een vaak schappelijk bedrag staan u dan bijvoorbeeld een zwembad met ligstoelen, een sauna en een fitnessruimte ter beschikking.

Melvin

SLAPEN OP LUCHT Vorig jaar, tijdens een vakantie aan zee, bleek er een bed te weinig te zijn in onze hotelkamer. Mijn dochter pakte meteen haar opblaasbare luchtbed en zei: 'Ik slaap hier wel op!' We vonden wat extra lakens, een deken en een kussen en hebben daarmee haar luchtbed opgemaakt. Sindsdien gaan we geen weekend meer weg zonder een luchtbed.

Lara

LICHTBAKEN Midden in de nacht is het vaak lastig zoeken naar het toilet. Het is energieverspilling om de hele nacht het badkamerlicht te laten branden – dat bovendien vaak te fel is om bij in slaap te vallen – en voor meegebrachte nachtlampjes is niet altijd op een logische plek een stopcontact te vinden. Een handige oplossing is een lichtstaafje: een buigzaam staafje dat oplicht wanneer de uiteinden in elkaar worden geschoven. 's Avonds, voor het slapengaan, hangen we zo'n lichtringetje aan de klink van de badkamerdeur. Zo vormt het zachte licht een baken.

Heidi

PASSEN EN METEN Met een groot gezin overnachten in een hotel is nog niet zo eenvoudig. In plaats van hier zelf het hoofd over te breken, kunt u overleggen met de afdeling reserveringen. Belangrijk daarbij is de verschillende leeftijden te noemen en aan te geven of kinderen bij elkaar in bed kunnen slapen. Wij zijn met z'n zessen en de mogelijkheden die wij tot nu toe aangeboden kregen – zoals twee tweepersoonskamers met op elke kamer een opklapbed – waren altijd tot ieders tevredenheid.

Liam

WAAR VOOR UW GELD Voor een betaalbaar vakantiehuis of -appartement in Frankrijk kunt u het beste proberen om rechtstreeks met de eigenaar in contact te komen via een site als abritel.fr, die ook in het Nederlands beschikbaar is. Voor twee weken Bretagne en een week in de Loirevallei heb ik in totaal slechts 600 euro hoeven te betalen.

Suzanne

NIET ONBELANGRIJK DETAIL<<<

We hadden voor een gezinsvakantie op
Maui een appartement aan het strand
besproken. Bij aankomst zagen we tot
onze grote schrik een bord op het strand
waarop stond dat zwemmen was verboden.
Wij hebben onze les geleerd en vragen
in het vervolg specifiek na of ergens wel
of niet gezwommen mag worden.

Lilian

MAGISCHE MINIBAR Om te voorkomen dat uw kinderen gaan zeuren om iets lekkers uit de minibar op uw hotelkamer, kunt u wat van hun favoriete etenswaren van thuis meenemen en die tussen de prijzige inhoud van de minibar leggen. Jarenlang hebben onze kinderen – nu volwassen – zich afgevraagd hoe het toch mogelijk was dat ze overal waar we overnachtten precies die dingen hadden die zij het lekkerst vonden.

Ben

EEN, TWEE, POP Ik neem altijd een of twee zakken popcorn voor in de magnetron mee op vakantie. In de meeste hotels staat ofwel op uw kamer ofwel in een gemeenschappelijke ruimte wel een magnetron. Als we net zijn aangekomen en nog geen zin hebben in een echte maaltijd is wat popcorn, gepresenteerd in een ijsemmer, precies waar we zin in hebben.

Stacey

KLIMAATBEHEERSING Veel hotels hebben een ventilatie-systeem dat met grote kracht warme of koele lucht de kamer in blaast, vaak precies in de richting van de bedden. Omdat we gevoelig zijn voor tocht, heb ik van karton een luchtomleider gefabriceerd die gemakkelijk te bevestigen is aan de gleufjes in het ventilatiesysteem. Het ding neemt plat opgevouwen amper ruimte in beslag in mijn koffer en maakt ons verblijf een stuk aangenamer.

Jeffrey

SIGNAALDOEK In een resort aan zee of hotel met zwem-bad gebruiken we altijd onze eigen handdoeken om over de ligstoelen te draperen. Terwijl over alle andere stoelen dezelfde witte hotelhanddoek ligt, zijn onze stoelen direct herkenbaar. De handdoeken van het hotel gebruiken we om ons mee af te drogen.

Ella

KOOPJESJACHT Lastminuteaanbiedingen kunnen u ongelooflijk veel geld besparen. Wat u doet, is het volgende: boek ruim van tevoren een vlucht en een hotelkamer met de mogelijkheid tot annulering, zodat u in elk geval verzekerd bent van een plekje. Begin een kleine maand voor vertrek met zoeken naar een aantrekkelijke aanbieding; als u slaagt, annuleert u uw hotelkamer. Informeer van tevoren naar de annuleringsvoorwaarden.

Harry

POTDICHT Als stewardess werk ik vaak 's nachts en moet dan overdag slapen. Om te voorkomen dat het daglicht de hotelkamer binnensijpelt, sluit ik de gordijnen met behulp van een kleerhanger voor rokken. Het is een truc die ook goed van pas komt om kinderen wat langer door te laten slapen.

Elisabeth

VAKANTIEVOER <<<<<<<<<

Het is geen vrolijke bedoening wanneer u laat in de avond met hongerige kinderen op uw vakantiebestemming aankomt en niets meer te eten kunt bestellen. Daarom neem ik altijd wat blikjes soep, noedels en muesli- of fruitrepen mee, waarmee ik de stemming snel ten goede weet te keren.

Roxanne

INSIDE-INFORMATION Als u uw volgende vakantie in hetzelfde hotel wilt verblijven, vraag dan aan een kamermeisje wat de beste kamers zijn. Niemand die het beter weet, en als de betreffende kamers vrij zijn, mag u er misschien zelfs een kijkje nemen. Noteer het kamernummer en vraag bij uw reservering specifiek om deze kamer.

Erin

BUON APPETITO! Bent u met uw gezin op vakantie in een duur oord, dan is het de moeite waard om in uw hotel te vragen om een telefoongids en hierin de plaatselijke pizzeria op te zoeken. Waarschijnlijk bezorgen ze nog gratis ook.

Bianca

TIP Als we in een hotel overnachten, leg ik direct bij aankomst wat kleingeld in de kluis in onze kamer. Zo heb ik tegen de tijd dat we weer vertrekken altijd geld paraat om als fooi voor het kamermeisje achter te laten.

Eric

HERHAALFUNCTIE Om op tijd uit te checken vraag ik of we een wake-upcall kunnen krijgen op het tijdstip dat we uit bed moeten en een op het tijdstip dat we de kamer moeten verlaten.

Christine

UIT EN THUIS<<<<<<<<<<<<

Als u timesharing overweegt, vraag
dan of u een weekje mag verblijven in
het betreffende vakantiehuis tegen een
van tevoren vastgesteld huurbedrag.
U kunt dan goed zien hoe de ligging,
omgeving en staat van het huis zijn
voor u besluit mede-eigenaar te
worden.

Rob en Laura

GEEN GEHOOR<<<<<<<<<<<

Op reis nemen we altijd voldoende oordoppen mee. Als de wanden van onze hotelkamer erg dun zijn of als de kamer naast de lift ligt, kunnen wij tenminste rustig slapen.

Alissa

HOUVAST<<<<<<<<<<<<<<<<

De marmeren badkamer met douche in ons hotel in Costa Rica was werkelijk prachtig, maar de vloer was gevaarlijk glad. Daarom legden we een handdoek op de grond, die, eenmaal doorweekt, een ideale douchemat bleek te zijn.

Sally

SPREKENDE KLEUREN Als u graag uw eigen kussen meeneemt op vakantie, zijn opvallende, kleurige kussenslopen handig, zodat u niet vergeet ze weer mee naar huis te nemen.

Renee

LEDENVOORDEEL Door deel te nemen aan zogeheten
gastenprogramma's, waarbij u aan hotels waar u verblijft persoonlijke informatie verschaft, die wordt gebruikt om beter
in te springen op de wensen van de gasten, maakt u kans op
kortingen en voorkeursbehandelingen.

Alexia

OP SCHOENENJACHT<<<<<<<

Misschien is het u al eens overkomen:
onderweg naar het vliegveld komt u
erachter dat u de vliegtickets, uw geld
of andere belangrijke zaken in de kluis
op uw hotelkamer heeft laten liggen.
Zet om dit te voorkomen de avond
voor uw vertrek een van uw schoenen
in of op de kluis. U zult niet gauw
op uw sokken vertrekken.

Ellen

HOOFDSTUK ZEVEN

[29 20 002]

GEARRIVEERD.

BUDGET TRAVEL

7

OP

ONDERZOEK UIT

GEEN KUNST Als we naar het museum gaan, vragen we bij de informatiebalie altijd of er een kinderspeurtocht is. Sommige musea, zoals het Van Goghmuseum in Amsterdam, hebben zelfs een speciale audiotour voor kids. U kunt ook zelf een speurtocht opzetten: laat uw kinderen in de museumwinkel ansichtkaarten van de tentoonstelling uitkiezen en dan op zoek gaan naar de echte kunstwerken.

Susan

ERE WIE ERE TOEKOMT Als u in Amerika bent en u bezoekt met uw kinderen een nationaal park, dan is het leuk te weten dat de padvinderij daar vaak activiteiten organiseert voor kinderen waarmee zij eremedailles of andere onderscheidingen kunnen verdienen.

Ted

PRIVÉBAD<<<<<<<<<<<<<<<<<

Ik ben een fanatiek surfer, maar zelfs
van de kleinste golven moet mijn
jongste zoon niets hebben. Om het
voor iedereen leuk te maken aan het
strand graaf ik een ruime, ondiepe kuil
die ik bekleed met een groot stuk zeil.
Vervolgens vul ik hem met zeewater.
Het water in ons zelf gecreëerde badje
wordt door de zon snel warm en kan
zo nodig gemakkelijk worden ververst.

Mike

SCHILDERS IN SPE We bezoeken nooit een museum zonder voor ieder van onze kinderen een schetsboek en potloden mee te nemen, zodat ze hun persoonlijke favoriete kunstwerk van de expositie kunnen natekenen. Later bespreken ze hun werk onderling als echte kunstcritici.

Anne

GRATIS ENTREE In sommige landen zijn de nationale musea voor iedereen gratis toegankelijk, zoals in Groot-Brittannië. In andere landen, zoals in Frankrijk, kunnen jongeren tot 26 jaar die inwoner zijn van de Europese Unie gratis de permanente collecties van nationale musea en monumenten bezichtigen.

Remi

BAAS OVER EIGEN GELD Als u niet de hele vakantie 'Mag ik dit, mag ik dat' wilt horen, geef uw kinderen dan vakantiegeld. Bij aankomst geeft u hun het bedrag dat zij mogen uitgeven. Ze mogen zelf weten waaraan, maar op is op.

Ilsa

PLAATSELIJK PLEZIER Waar we ook naartoe gaan, we proberen altijd vertrouwd te raken met de plaatselijke keuken en gebruiken, en betrekken daarin ook onze vier kinderen van tien tot negentien jaar. Toen we tijdens een cruise een tussenstop maakten in Ocho Rios op Jamaica hebben we op aanraden van een ober een bezoek gebracht aan de pastoor van de kerk waartoe hij behoorde. Deze was zo vriendelijk om ons voor een rondrit in de kerkbus mee te nemen. Een geweldige ervaring!

Wesley

BOEKENWIJSHEID Als u meer wilt weten over uw vakantie-plaats, over de geschiedenis of over de attracties, is de plaatselijke boekwinkel vaak een goede plek om informatie in te winnen. Het personeel én de klanten zijn over het algemeen goed geïnformeerd en helpen u graag.

Luca

VOOR EEN DUBBELTJE... Als u in New York bent en een Broadwayshow wilt bijwonen, betaalt u bij de reguliere ver-kooppunten het volle pond; bovendien staat u waarschijnlijk urenlang in de rij. Een alternatief is broadwaybox.com. Op deze site kunt u toegangskaartjes kopen met kortingen die soms wel oplopen tot 50 dollar. Zo zagen wij *Mary Poppins* voor 39 dollar per kaartje in plaats van het normale tarief van 62 dollar.

Manuela

OP DIE FIETS Bij een langer verblijf kunnen de kosten voor fietsenhuur soms hoog oplopen. Het kan dan zelfs goedkoper zijn om ergens fietsen te kopen. Als u ze bij vertrek kwijt wilt, kunt u ze bij menige fietsenwinkel wel weer verkopen voor een prijs die lager ligt dan de huurprijs. Ga desnoods naar een andere fietsenwinkel.

Harry

NATTIGHEID VOELEN Als we een dagje naar het strand gaan, doen we een nat washandje in een ziplockzakje in de koelbox. Heerlijk verfrissend en bovendien ideaal voor het verwijderen van zand en zout op de huid.

Sharon

KOPPIE ERBIJ<<<<<<<<

In buitenlandse safariparken wisten we
onze kinderen tijdens de vaak lange
autoritten of wandeltochten scherp te
houden door beloningen uit te loven
aan wie een wild dier wist te spotten.
Zo leverde een antilope 5 euro op, en
een moeilijker te vinden eland 10 euro.

Jane

TIKKIE TERUG Als we met de kinderen een lange wandeling door de natuur maken en op de terugweg hun tempo begint af te nemen, maak ik van het lopen een spelletje. Een van ons gaat vooruit en de anderen moeten proberen zijn schaduw te tikken. Ongemerkt en met veel plezier leggen we zo een behoorlijke afstand af.

Martha

UITWAAIEREN Als u met meerdere mensen op vakantie gaat, met familie of vrienden bijvoorbeeld, probeer dan niet steeds als groep bij elkaar te blijven, op terrasjes of in de trein of bus. Het is veel leuker om ook eens uw eigen gang te gaan en u onder andere mensen te begeven.

Alex

ETEN MET DRAAD EN VORK Toen we kortgeleden voor een picknick een mes waren vergeten mee te nemen, probeerde ik met flosdraad, dat ik toevallig in mijn handtas bij me had, de kaas en broodjes te snijden. En het werkte! We hebben heerlijk gepicknickt en hadden na afloop niet eens vies bestek.

Kim

DE NATUUR IN<<<<<<<<

Gaan we met ons gezin naar het buitenland om allerlei musea en bezienswaardigheden te bezoeken, dan ruimen we
halverwege de vakantie ook steevast
tijd in voor een bezoek aan een
dierentuin of attractiepark – een
welkome afwisseling voor ons kroost!

Kelly

VRAGEN STAAT VRIJ<<<<

Onlangs, tijdens een vakantie, informeerde ik bij het toeristen-informatiebureau naar kortingsbonnen voor attractieparken in de buurt. Ik kreeg toen twee gratis kaartjes voor een oefenwedstrijd van het plaatselijke voetbalteam.

Serge

A ROOM WITH A VIEW Bent u in Amerika, dan is het de moeite waard een van de hoogste wolkenkrabbers van het land te bezoeken, zoals het John Hancock Center in Chicago of de Space Needle in Seattle. Deze hebben vaak een hooggelegen restaurant dat voor bezoekers toegankelijk is. Om van het adembenemende uitzicht te genieten hoeft u slechts te betalen voor een drankje of lunch.

Joyce

VIA DE ACHTERDEUR Sommige grote musea hebben behalve een hoofdingang nog andere bezoekersingangen, zoals het Parijse Louvre, waarvan de glaspiramide werkelijk prachtig is, maar over het algemeen ook stampvol met bezoekers. Om deze minder bekende ingangen te lokaliseren googelt u op het betreffende museum plus de zoekterm 'alternate entrance'.

Francis

ZONDER ZAND Neem de volgende keer dat u naar het strand gaat een busje babypoeder mee. Als u voor u weer in de auto stapt wat poeder over ieders voeten strooit, valt het zand er als vanzelf af.

Ella

VRAAG HET DE POSTBODE Op zoek naar het door ons geboekte pension in het Engelse York raakten we hopeloos verdwaald. In een van de buitenwijken zijn we een winkel met postkantoor binnengestapt om de weg te vragen. De postbeambte heeft toen een kaart voor ons uitgetekend met gedetailleerde aanwijzingen, die we zorgvuldig hebben opgevolgd. Vervolgens zijn we in één keer naar onze accommodatie gereden. Wij weten wel wie we in het vervolg de weg moeten vragen.

Patrick

VOOR KLEINE ONDERZOEKERS Er zijn velerlei soorten musea. Bezoek met uw kinderen eens een wetenschapsmuseum. Hier kunnen ze zelf actief dingen ontdekken over bijvoorbeeld technologie, het heelal of het menselijk lichaam.

Maria

FILMPJE! Natuurlijk moeten kinderen op vakantie proeven van de plaatselijke cultuur en het landschap, maar op een bepaald moment is de koek gewoon op. Wanneer u dan een draagbare dvd-speler bij u heeft, kunnen ze lekker een filmpje kijken. U zult merken dat die 2 uurtjes de overige 22 die u per etmaal samen doorbrengt ten goede komen.

Justin

HOOFDSTUK ACHT

VOOR ALLE ZEKERHEID:

DE **VEILIGHEID**
VAN UW GEZIN

8

EVEN POLSEN Tijdens de vakantie dragen mijn kinderen een rubberen polsbandje met daarop het nummer van mijn mobiel. Als we elkaar dan kwijtraken, kunnen ze iemand vragen om mij te bellen. U kunt uw telefoonnummer ook op een papiertje schrijven en in hun broek- of jaszak stoppen, maar een polsbandje raakt minder gauw kwijt.

Ronda

VEILIGHEID VOOROP Wanneer u op reis gaat met kleine kinderen kunt u het beste standaard een pakketje stopcontact-beveiligers meenemen. Lang niet alle hotelkamers en vakantie-huizen of -appartementen zijn kindveilig, en deze voorzorgs-maatregel zal u een hoop zorgen besparen.

Barry

HOGE TONEN Geef uw kinderen een scheidsrechterfluitje, dat ze aan een koord om hun hals kunnen dragen. Spreek met hen af dat als ze verdwaald zijn of in gevaar, ze op het fluitje blazen. Door het schelle geluid zult u ze snel kunnen vinden.

Bill

MOMENTOPNAME Als we op vakantie zijn, maak ik met de digitale camera elke dag een foto van onze dochter. Mochten we haar kwijtraken, dan heb ik een foto van haar bij me waarop je kunt zien wat ze die dag draagt.

Aisa

EEN TAS VOL<<<<<<<<<<

Als we in een hotel overnachten,
bewaar ik het geld en de paspoorten,
mobiele telefoon, camera en alle andere
belangrijke zaken in dezelfde tas en zet
die in de buurt van het bed. In geval
van nood hoef ik dan alleen maar deze
tas te pakken. Hoe handig dit is, weet
ik uit ervaring: ooit ging in het hotel
waar ik verbleef midden in de nacht het
brandalarm af.

Dana

DUBBELE BEVEILIGING Het is ons al twee keer overkomen dat onze bagage werd geroofd uit een afgesloten huurauto. Tegenwoordig nemen we voor de zekerheid een kabelslot mee. Als we dan onze koffers in de auto moeten laten, binden we ze aan elkaar vast en bevestigen het geheel aan iets in de auto. Mochten dieven erin slagen de deur te forceren, dan zullen ze in elk geval niet zomaar onze koffers kunnen meenemen.

Rico

ALARMNUMMERS Vergeet wanneer u op vakantie gaat naar het buitenland niet om uw zorgpasje mee te nemen. In de meeste gevallen staat hierop het alarmnummer vermeld. Moet u medische hulp inroepen, dan is het verstandig om eerst via dit nummer contact op te nemen met uw zorgverzekeraar.

Monique

PARATE KENNIS Ik stuur mezelf en mijn ouders altijd een mailtje met onze reisgegevens: welke vlucht we nemen, in welk hotel we overnachten, onze reserveringsnummers, enzovoort. Mocht onze bagage dan zoekraken of mochten onze handtassen worden gestolen, dan hebben we in elk geval altijd toegang tot deze belangrijke informatie.

Debbie

PLAN B De schrik van elke ouder: de automatische deuren van de metro zijn dicht terwijl nog niet iedereen is ingestapt. Het is dan prettig om een rampenplan achter de hand te hebben, zoals de afspraak dat als de groep niet compleet is, degenen die zijn ingestapt meteen bij de volgende halte weer uitstappen om te wachten op de anderen.

Linda

KIJK EN VERGELIJK Ga voor u een reisverzekering afsluit eerst eens rondkijken op het internet. Er zijn vele sites waar u een goede vergelijking kunt maken tussen de verschillende aanbieders. Hier komt niet alleen de prijs maar ook de kwaliteit van de dekking aan bod.

Marco

KWIJT? KIEKJE! Al vanaf dat mijn kinderen klein waren, droeg ik van ieder van hen een pasfoto bij me tijdens vakanties, voor het geval we elkaar zouden kwijtraken. Nu ze wat ouder zijn en ook met vrienden of vriendinnen mee op vakantie gaan, geef ik de ouders een pasfoto mee. Achterop heb ik dan onze telefoonnummers genoteerd, zodat ze ons in geval van nood altijd kunnen bereiken.

Marsha

MET ÉÉN DRUK OP DE KNOP Als u in een kamer op de begane grond overnacht, vlak bij de parkeerplaats, en u voelt zich niet veilig, leg dan voor uw eigen gemoedsrust de afstandsbediening van uw auto binnen handbereik. Bij onraad hoeft u alleen maar op de knop te drukken die het autoalarm activeert.

Dick

DE WEG TERUG Als we op vakantie zijn, en vooral in het buitenland, zorgen we dat onze kinderen van negen en twaalf een visitekaartje van het hotel bij zich hebben, waarop we ook onze telefoonnummers hebben genoteerd. Mochten we elkaar kwijtraken, dan weet de politie waar ze thuishoren en kunnen ze ons direct bellen, zodat wij weten dat ze veilig zijn.

Sandra en John

HOOFDSTUK NEGEN

DE WERELD VAN HET
ATTRACTIEPARK:

09

DISNEY EN
DE REST

BUDGET TRAVEL

TEAMKLEDING In een groot attractiepark met veel bezoekers zoals Disneyland Parijs of Movie World Germany is het een slim idee om alle gezinsleden een T-shirt of jas te laten aantrekken in dezelfde, opvallende kleur. Zo zult u elkaar in de menigte gemakkelijker herkennen.

Michele

ACTIE ZONDER KORTING Bij de snelle attracties worden er steevast actiefoto's gemaakt van de joelende inzittenden. Na het uitstappen kun je die op scherm bekijken en kopen. Deze foto's zijn alleen ongelooflijk duur – weersta de verleiding en loop de schermen waarop ze geprojecteerd staan voorbij. Bewaar uw geld liever voor een lekker ijsje!

Cora

CHECK DE TIJD<<<<<<<<<<<<

Sommige attractieparken geven na een bepaalde tijd 's middags korting op de toegangsprijs. Voor een gezin met jonge kinderen, van wie een mogelijk tussen de middag nog een dutje doet, is dit een voordelige uitkomst.

Edward

GOED GEDRAG LOONT In de aanloop naar een bezoek aan de Efteling hebben mijn dochter en schoonzoon het goede gedrag van hun twee jongens telkens beloond met wat geld. In het attractiepark mochten de kinderen het verdiende bedrag vervolgens naar eigen inzicht uitgeven.

Christel

SLIM SPAREN<<<<<<<<<<

Regelmatig organiseren winkels voor hun klanten een spaaractie waarbij je met korting naar een attractiepark of dierentuin kunt. Ook aan sommige producten is een spaaractie verbonden (bijvoorbeeld tweede toegangskaartje gratis bij drie zakken snoep).

Nina

SURPRISE! <<<<<<<<<<<<<

Voordat we vertrokken naar Disneyland
Parijs beloofde ik mijn dochter dat ze
in het hotel een verrassing kreeg als
ze die dag goed zou luisteren. De
verrassing was een Disneyfiguur die ik
thuis al had gekocht voor een schijntje
van de prijs die ze er in de souvenir-
winkel voor vroegen.

Louise

WATERPRET Neem bij een bezoek aan een attractiepark altijd een paar plastic ziplockzakjes mee om uw papieren en mobiele telefoon in op te bergen wanneer u in de wildwaterbaan of een andere waterattractie gaat.

Rosalie

OP DE HEUPEN Geef alle gezinsleden een heuptasje waarin ieder zijn eigen favoriete tussendoortjes mag doen. Dat scheelt wachten in lange rijen en u bent ook nog eens veel goedkoper uit.

Stan

OOST WEST... Een dagje attractiepark is tegenwoordig haast niet meer te betalen. Wij proberen daarom zo veel mogelijk naar attractieparken in de buurt te gaan, in plaats van naar een park aan de andere kant van het land. Dat scheelt een hoop benzinegeld.

William

SLIM SURFEN Zoek op internet naar kortingsbonnen en -acties voor attractieparken. U komt dan bijvoorbeeld terecht op uitmetkorting.nl en kortingkaartjes.nl. Ook kunt u op internet meedoen aan quizzen en zo toegangskaartjes winnen.

Finn

KNAPZAK MEE Voor een heel gezin aan eten en drinken kopen in een attractiepark of dierentuin is een dure aangelegenheid. Voor een bakje friet met een blikje frisdrank bent u algauw 5 tot 6 euro per persoon kwijt. Neem daarom zelf een flinke voorraad versnaperingen mee, zodat u in het park niets hoeft te kopen.

Maribelle

ANWB Met een ANWB-lidmaatschap kunt u flinke kortingen krijgen op de toegangsprijs van enkele grote attractieparken, zoals Duinrell of Legoland in Duitsland. Ook kunt u toegangskaartjes kopen via de ANWB zelf – scheelt weer wachten voor de kassa!

Esther

WINTERWEELDE Bezoek uw favoriete dierentuin eens in de winter. Het park heeft in dat seizoen een bijzondere charme, organiseert speciale winterse activiteiten en de toegangsprijs ligt vaak vele euro's lager!

Stella

WIKKELDOEK Door een kleurige sjaal om uw buggy te wikkelen wanneer u deze bij een attractie achterlaat, zult u bij terugkeer uw wagen zonder moeite herkennen te midden van de zee van buggy's.

Marc

GOEDE TIMING Veel gezinnen brengen de hele dag door in attractieparken, van 's ochtends vroeg tot sluitingstijd, maar voor zowel de kinderen als de ouders is dit vaak te vermoeiend. Wij houden een beter humeur door aan het begin van de middag, op het heetst van de dag, een pauze in te lassen. We gaan dan terug naar het hotel voor de lunch, een verfrissende duik en een middagdutje. Later op de middag, wanneer het wat is afgekoeld, gaan we tot sluitingstijd opnieuw naar het park, waar het vooral bij de attracties voor jonge kinderen inmiddels een stuk rustiger is.

Denise

HOOFDSTUK TIEN

VAKANTIE OP ZEE:

EEN GEZINS-CRUISE

10

SLAAPFEESTJE Toen we een cruise gingen maken met onze twee peuters, hadden we een hut met twee tweepersoonsbedden geboekt, omdat we niet graag boven in een stapelbed slapen. We schoven de bedden tegen elkaar aan en sliepen met z'n vieren dwars over de bedden gelegen, met de kinderen veilig tussen ons in.

Jim

SCHEEPSBERICHTEN Kijk voor wat voorpret op cruisereiziger.nl. Hier vindt u uitgebreide informatie over de voorbereiding, accommodatie, eten en drinken aan boord en ontspannings- en excursiemogelijkheden. Via het overzicht van cruisemaatschappijen kunt u doorklikken naar de verschillende websites, met nadere gegevens over de diverse schepen.

Brenda

DE PASSENDE SLEUTEL We zijn een groot gezin en hebben aan één hut niet genoeg. Ook vragen we voor elke hut een reservesleutel. Om al die sleutels overzichtelijk te houden plak ik op elke hutdeur een gekleurde, ronde sticker en markeer de bijbehorende sleutels in dezelfde kleur. Aan het eind van de reis kan ik de stickers heel eenvoudig weer verwijderen.

Lyla

PRETPAKKET Ik maak voor elke havenplaats die we onderweg aandoen een pakketje klaar dat ik nummer en dateer. In elke zak stop ik informatie en benodigdheden die zijn afgestemd op de betreffende plaats: een plattegrond van de omgeving, zonnebrandcrème, insectenwerende middelen, een routebeschrijving en reserveringsnummers, plus een wegwerpcamera die ik heb voorzien van de naam van de havenplaats.

Eileen

OP LEEFTIJD Kijk niet alleen naar het aanbod van kinder-activiteiten, maar ook vanaf welke leeftijd kinderen mogen deelnemen. Onze dochter was twee weken jonger dan de minimumleeftijd waarop kinderen mochten meedoen. Onze reisagent had gezegd dat dit geen probleem was en dat het erom ging dat ze zindelijk was. Eenmaal aan boord bleek dat de leeftijdsgrens strikt gehanteerd werd. Als we dat hadden geweten, hadden we nooit geboekt.

Jeanette

OVER EN UIT Om op het schip in contact met elkaar te blijven zijn walkietalkies ideaal.

Ellen

JOIN THE CLUB Bij grote cruisemaatschappijen zoals Carnival of Princess kunt u vanaf uw tweede cruise lid worden van een club van 'vaste passagiers'. Dit lidmaatschap verleent bepaalde voorrechten. Zo hoefden wij niet in de rij te wachten voor de aan boord getoonde theatershows en stond er elke avond in onze hut een schaaltje met in chocolade gedoopte aardbeien voor ons klaar.

Steven

IN RUSTIG VAARWATER<<<<

Voor u een hut boekt, kunt u het beste een plattegrond van het schip raadplegen op de website van de cruisemaatschappij. Het is raadzaam een hut te kiezen die niet direct onder een openbare ruimte ligt. Op het Lidodek van de schepen van de Princesslijn bijvoorbeeld is het buffet vaak dag en nacht geopend. Het geluid van stoelen die over de houten vloer worden geschoven, kan uw nachtrust vervelend verstoren.

Fred

BABYFOON VOOR DE GROTEN Een betaalbare luxe hut voor meer dan vier personen is moeilijk te vinden en voor een dubbele hut met verbindende tussendeur betaal je gewoon tweemaal hetzelfde tarief. Wij gaan binnenkort voor de vierde keer cruisen en hebben de volgende oplossing gevonden: voor onszelf boeken we een buitenhut, voor onze drie kinderen een binnenhut er precies tegenover én we nemen een babyfoon mee. Zo kan ik rustig slapen, in de wetenschap dat mijn kinderen me kunnen roepen en ik binnen een halve minuut bij ze ben.

Anne

IN ÉÉN OOGOPSLAG Met een markeerstift bij de hand kunt u op het vaak meerdere pagina's tellende activiteitenprogramma aangeven waaraan u wilt deelnemen. Zo hoeft u niet telkens de hele lijst na te lopen om te checken hoe laat u ook alweer waar moet zijn.

Cynthia

ZONDER TUSSENPERSOON Bij de cruisemaatschappij waar u heeft geboekt, kunt u zich vaak ook inschrijven voor de excursies in de diverse aanlegplaatsen. Maar u kunt zich voor vertrek ook zelf oriënteren en rechtstreeks een excursie boeken bij de betreffende reisgids. Op deze manier betaalt u veel minder.

Rick

RUIMTE CREËREN We zijn dol op cruises, maar niet op de beperkte ruimte in de hutten. Daarom nemen we geen koffers mee maar canvas reistassen op wieltjes die we, nadat we onze kleren hebben uitgepakt, opgevouwen onder de bedden kunnen schuiven. Zo nemen ze geen kostbare ruimte in beslag.

Oscar

EEN BRON VAN ENERGIE Vergeet niet een stekkerdoos en een verlengsnoer mee te nemen. In veel hutten is er maar één stopcontact. Dat is natuurlijk nooit genoeg voor uw laptop, het opladen van uw iPod en mobiele telefoons en het gebruik van uw scheerapparaat en haardroger.

Maurice

BONUSVOORDEEL Informeer voor u een cruise boekt of de betreffende cruisemaatschappij bonusvoordeel biedt als u zich inschrijft voor een creditcard van de betreffende maatschappij. Bij de Carnivallijn bijvoorbeeld kunt u bonuspunten verdienen waarmee u spaart voor een cruise, een verblijf in een resort of een vliegreis.

Paula

ACHTERVOLGING OP ZEE Doordat onze vlucht was vertraagd, misten we de afvaart van ons cruiseschip in Miami. De cruisemaatschappij bood ons een vlucht aan naar de eerstvolgende haven, die het schip enkele dagen later zou aandoen. We wilden deze kostbare dagen op zee echter liever niet missen en hebben toen gevraagd of we mee konden varen met een cruiseschip van dezelfde maatschappij dat de volgende dag, eveneens uit Miami, zou vertrekken. We kregen toestemming en hebben volop genoten. Nee heb je, ja kun je krijgen!

Thomas

TELESCOOPSTANG Aan boord is de kastruimte minimaal. Daarom nemen wij een uitschuifbare, verende stang mee, die vaak voor douchegordijnen wordt gebruikt. Deze klemmen we tussen bijvoorbeeld het tv-meubel en een raamwand. Vervolgens hangen we er wat overheen en voilà: een kast erbij!

Tina

GOEDE ONTVANGST Wanneer u een cruise maakt door het Caraïbisch gebied kunt u met een draagbare AM/FM-radio tal van eilandzenders ontvangen (met name AM-signalen dragen ver over open water). Het gevarieerde aanbod omvat muziek-stijlen als reggae, salsa, merengue, kompa en zouk, maar ook de nieuwsberichten en commercials zijn leuk om naar te luisteren.

Dimitri

AANGENAAM CADEAU Thuis kopen we in een souvenir-winkel wat ansichtkaarten, koelkastmagneten en streekproduc-ten en maken hier een leuk pakketje van. Wanneer we aan boord zijn, geven we dit pakketje aan degene die ons onze hut heeft gewezen. Een veelal geslaagde kennismaking die onze reis extra plezierig maakt.

Nick

EEN LEGE KOELKAST Als u in uw hut een minibar heeft die vol staat met eten en drinken dat u niet van plan bent te gebruiken, kunt u het personeel het beste vragen om hem leeg te halen. Zo heeft u meer ruimte voor uw eigen spullen en kan er niet per ongeluk iets in rekening worden gebracht.

Sandra

MULTIFUNCTIONEEL Bij verblijf in een hotel of op een cruiseschip neem ik altijd een schoenenopbergzak mee, die ik aan de badkamerdeur hang. De vele vakjes zijn ideaal voor het opbergen van toiletspullen, zonnebrillen, reisdocumenten en natuurlijk schoenen. Doordat er geen spullen rondslingeren, is de beperkte ruimte veel beter te gebruiken.

Iris

WEER FRIS EN FRUITIG Bij de meeste cruisemaatschappijen moet u apart betalen voor gebruik van de wellnessfaciliteiten, maar op sommige schepen kunt u wel gratis gebruikmaken van de sauna. Na getraind te hebben in de fitnessruimte aan boord vinden mijn dochter en ik het heerlijk om de sauna in te gaan, waarna we meteen gebruikmaken van de ruime douches. Ook is er bij het wellnesscentrum vaak een vrij toegankelijke relaxruimte. De ideale plek om even aan alle activiteiten aan boord te ontsnappen.

Belle

BAGAGEVERVOERSDIENST Als u een cruise boekt bij de Holland-Amerikalijn, kunt u informeren of het schip waarmee u vaart de 'Bagage Direct'-service biedt. Voor rond de 16 dollar per persoon zorgt de maatschappij dat uw bagage rechtstreeks van het schip naar de luchthaven wordt vervoerd, op tijd voor uw vlucht naar huis. Vooral wanneer u met kinderen reist, is dat een hele zorg minder. Bovendien wordt uw instapkaart aan boord al geprint, zodat u zich zonder inchecken direct bij de gate kunt melden.

Marian

EEN BALLON ALS BOEI Op een cruiseschip markeert mijn vrouw onze hut altijd met een rode ballon die ze opblaast en met een plakbandje vastplakt aan de deur. Zo vinden we in de lange gangen met de rijen uniforme deuren moeiteloos onze weg.

Eva

KORTINGSDAG We hebben al heel wat cruises gemaakt bij diverse maatschappijen en bijna altijd is het wellnesscentrum aan boord tegen gereduceerd tarief geopend op de dagen dat het schip een haven aandoet. Een van u kan dan met de kinderen van boord om op excursie te gaan, terwijl de ander zich inschrijft voor een heerlijke massage.

Rhonda

HOOFDSTUK ELF

OVER DE GRENS:

DICHTBIJ EN VER WEG

BUDGET TRAVEL
-11-

BALCONTACT Op een rondreis door Europa met onze kinderen hadden we een rugbybal meegenomen om af en toe een partijtje over te gooien. Als er dan mensen bleven staan om te kijken, vroegen we hun om mee te doen. Zo raakten we meer dan eens in contact met de plaatselijke bevolking, ook al spraken we soms elkaars taal niet.

Scott

SOS Het in Nederland gebruikte alarmnummer 112 geldt ook in de meeste andere Europese landen. In de meeste Aziatische landen is het alarmnummer 110, binnen Amerika en Canada toetst u in geval van nood 911. Goed om te weten: deze nummers kunt u ook met uw eigen mobiele telefoon altijd gratis bellen.

Leo

TWEEOUDERREGEL Als u gescheiden bent en uw kinderen voor vakantie wilt meenemen naar het buitenland, is het verstandig om voor u boekt te informeren naar de regelgeving van het betreffende land. Ik wilde samen met mijn kinderen naar Cancún, Mexico, en kwam er helaas te laat achter dat voor minderjarigen die begeleid worden door slechts één ouder een door beide ouders ondertekende notariële brief overhandigd moet worden. Ook veel vliegtuigmaatschappijen stellen tegenwoordig deze voorwaarde.

Margot

JAPANS GEMAK Met ons gezin van in totaal acht personen zijn we een keer in Japan geweest, waar we relatief weinig geld kwijt waren aan eten. In bijna alle Japanse warenhuizen is namelijk een afdeling – op de begane grond of een verdieping lager – met voortreffelijke kant-en-klare meeneemmaaltijden. Doordat ze hun eten zelf konden uitzoeken, was het voor onze kinderen de ideale manier om kennis te maken met de Japanse keuken.

Ralph

GRATIS AUDIOTOUR Een audiotour door een stad als Londen, Parijs of Rome is interessant maar niet altijd beschikbaar in het Nederlands. Wat u kunt doen, is een gratis audiotour downloaden via sound-guides.com. De in het Engels gestelde informatie kunt u dan op uw gemak voor uw kinderen vertalen, zodat u tijdens uw tocht door de stad in uw eigen tempo de bezienswaardigheden kunt bezichtigen en er alles over kunt vertellen.

Hannah

GRATIS EN VOOR NIETS Toen wij voor langere tijd in Londen woonden, raadpleegden we regelmatig de website freelondonlistings.co.uk. Hier vindt u een overzicht van alle evenementen en activiteiten in de stad die (bijna) gratis zijn.

Jacky

STREEK HOUDEN Bij de meeste hotels in het Mexicaanse Cancún kunt u dagtochtjes boeken naar archeologische vind-plaatsen als Chichén Itzá en Tulum. U kunt echter ook de bus pakken naar het busstation in de stad en een dagkaart kopen voor omgerekend circa 7,50 euro. De streekbussen zijn voor-zien van airconditioning en behalve dat de kosten veel lager zijn, is het een groot voordeel dat u niet met een grote groep toeristen tegelijk aankomt.

Arthur

VIEL SPASS! In Duitsland zijn verrassend veel attractie-parken, waarover u in de meeste reisgidsen (die vooral op volwassenen zijn afgestemd) weinig tot geen informatie zult vinden. De meeste typisch Duitse *Biergarten* hebben bovendien een speelplek voor kinderen: terwijl u geniet van een biertje, vermaakt uw kroost zich daar uitstekend.

Mark

MIJNES! Als we met het hele gezin op reis gaan, hebben we zes paspoorten bij ons. Bij de douane was het altijd een gedoe om uit te zoeken welk paspoort van wie was. Ik kwam toen op het idee om elk paspoort te voorzien van een sticker met daarop de naam van de eigenaar.

Isabelle

KONINKLIJK BEZOEK Als u van plan bent om bij een bezoek aan Londen ook een aantal kastelen en paleizen te bezichtigen, is het de moeite waard om u aan te melden als lid van de Historic Royal Palaces (hrp.org.uk). Voor slechts 56 pond (gezin met één volwassene) of 83 pond (gezin met twee volwassenen) heeft u gratis toegang tot vijf van de indrukwekkendste historische monumenten, waaronder de Tower of London, Kensington Palace en Kew Palace. Extra voordeel: u hoeft niet in de rij te staan. Bovendien krijgt u tien procent korting in de museumwinkels en -restaurants.

Tara

'S LANDS WIJS, 'S LANDS TAAL

Enkele jaren geleden, tijdens een vakantie in Turkije, werden we op straat voortdurend aangesproken door verkopers die zich door ons beleefde 'No, thank you' niet lieten afwimpelen. Toen we echter hadden geleerd dit zinnetje in het Turks te zeggen, zeiden ze: 'Ah, u spreekt Turks', en drongen niet verder aan. Deze tactiek pasten we met evenveel succes in India toe.

Will

OP(EN) SAFE Als u een vroege vlucht terug naar huis heeft, is het slim om al voor het slapengaan het kluisje in uw hotel-kamer open te maken. Kortgeleden kregen wij onze kluis, met daarin onze paspoorten en andere waardevolle spullen, met geen mogelijkheid open, en ook de dienstdoende receptionist kon ons niet helpen. Gelukkig was het de avond voor ons vertrek en is alles nog goed gekomen. Was dit echter 's ochtends gebeurd, dan hadden we beslist onze vlucht gemist.

Wessel

DE JUISTE WEG Als u met uw gezin op vakantie gaat, is een appartement, ook in het buitenland, vaak veel prettiger dan een verblijf in een hotel. Wat u echter niet moet vergeten mee te nemen, vooral als u de taal niet spreekt, is een routebeschrijving. Het is ons al in Madrid, Sevilla en Palermo overkomen dat de taxichauffeur het adres niet kon vinden.

Frank

ALTERNATIEVE CULTUURCENTRA Zijn we met ons gezin op vakantie in het buitenland, dan bezoeken we niet alleen musea, kathedralen en kastelen, maar lopen we ook altijd een plaatselijke supermarkt of een warenhuis binnen. Van wat er zoal in de schappen ligt, leren we veel over de cultuur van het land. Sommige etenswaren kennen we, andere zijn ons vreemd, maar we kopen altijd iets nieuws om uit te proberen.

Gwen

GESLOTEN WEGENS FEESTELIJKE OMSTANDIGHEDEN Check voor uw vertrek bank-holidays.com voor een wereld-wijd overzicht per land van nationale feestdagen en speciale evenementen. Zo komt u niet voor akelige verrassingen te staan, bijvoorbeeld dat op uw dag van aankomst alle winkels gesloten zijn.

Christy

WETENSWAARDIGHEDEN Als u in Ierland meerdere historische monumenten wilt bezoeken, kunnen de kosten voor toegangskaartjes behoorlijk oplopen. Met een zogeheten Heritage Card heeft u een jaar lang gratis toegang tot meer dan zeventig nationale monumenten, waaronder Dublin Castle en Kilkenny Castle. Volwassenen betalen 21 euro, studenten en kinderen (6-18 jaar) 8 euro en voor een gezinskaart betaalt u 55 euro. Deze kaart kunt u van tevoren aanschaffen via heritageireland.ie.

Max

TOESLAGONTDUIKING Als u in Italië bent en u wilt uit eten, lees dan ook de kleine lettertjes op de menukaart. De *coperto* is letterlijk een toeslag voor het gebruik van bestek, waardoor u algauw een paar euro meer betaalt dan de prijs die bij het gerecht staat vermeld. Voor een ontbijt of lichte lunch kunt u prima terecht bij een warme bakker. Ga met uw verse broodjes lekker bij een fontein zitten of eet ze gewoon al wandelend op.

Ingerlise

HET RIJK ALLEEN In het westen van Ierland zijn de meeste toeristen die een georganiseerde dagtocht maken al voor het eind van de middag weer verdwenen. In de zomer is het echter wel tot tien uur 's avonds licht. Wie in alle rust van de natuur, kastelen en abdijen wil genieten, kan het beste pas rond vier uur 's middags beginnen met de prachige Ring of Kerry.

Frank

ZEG HET MET FOTO'S Als u iets wilt vragen in een land waarvan u de taal niet spreekt, biedt de mobiele telefoon met camera uitkomst. Ik heb in mijn mobiel een fotomapje aangemaakt met afbeeldingen van basisbenodigdheden als een flesje water, een toilet, een taxi en een postzegel. Als ik nu iets nodig heb en ik weet niet hoe ik het moet vragen, pak ik gewoon mijn telefoon erbij en laat de desbetreffende foto zien.

Frederique

VRIENDEN IN FLORENCE Als u naar Florence reist, is het beslist de moeite waard om lid te worden van de 'Vrienden van de Uffizi' (amicidegliuffizi.it). Voor een gezin van twee volwassenen en twee kinderen betaalt u 100 euro voor een heel jaar gratis toegang, niet alleen tot het Uffizi, maar ook tot het Pittipaleis, de Medicikapellen en andere musea in Florence. Bovendien hoeft u dan niet te wachten in de rij voor de kassa, die vooral in de hete zomermaanden erg lang kan zijn!

Michel

VEILIG OP DE WEG Wie met de auto rondtoert in Europa, heeft veel baat bij de overzichtelijke plattegronden en routebeschrijvingen van Nokia Maps (maps.nokia.com). Ze zijn er tegenwoordig ook als app voor mobiele telefoons.

Caroline

PALEISINTRIGES Mijn kinderen tonen zelden interesse wanneer ik hun over de geschiedenis van iets wil vertellen, maar de audiotours die bij verschillende historische monumenten worden aangeboden, vinden ze geweldig. Toen ze respectievelijk tien en twaalf jaar oud waren, brachten we een bezoek aan het slot Charlottenburg in Berlijn, waar ze anderhalf uur gefascineerd hebben geluisterd.

Theo

NAAR DE BEKENDE WEG VRAGEN Alle informatie die u voor uw vertrek verzamelt, over uw reis maar ook routebeschrijvingen naar interessante bezienswaardigheden, heeft u natuurlijk het liefst in uw eigen taal. Bedenk echter dat als u eenmaal op uw bestemming bent en de weg wilt vragen, het handig is dat u ook de oorspronkelijke naam weet van de plek die u wilt bezichtigen. Zo kan men u sneller helpen.

Carolien

GOEDKOPE KLETSPRAAT Op onze rondreis door Mexico wilden we graag in contact blijven met onze familie en vrienden thuis. iTunes bleek een gratis app aan te bieden, Truphone, waarmee we onze iPhone als internettelefoon konden gebruiken. We hebben de app gedownload en een ruime hoeveelheid beltegoed gekocht, en konden zo via de wifi van ons hotel tegen een zeer voordelig tarief met het thuisfront bellen.

Ian

WACHTRIJ MET BYPASS Onlangs waren we in Venetië, waar we een afspraak voor een bezichtiging van de Basilica di San Marco hadden gemaakt om de lange wachtrij te ontlopen. Het is een gratis service, u hoeft daarvoor alleen maar enkele dagen van tevoren een afspraak te maken. Ik voelde me wel schuldig toen wij gewoon konden doorlopen en niet zoals de rest van de mensen een uur hoefden te wachten, maar dat was zo weer over!

Christine

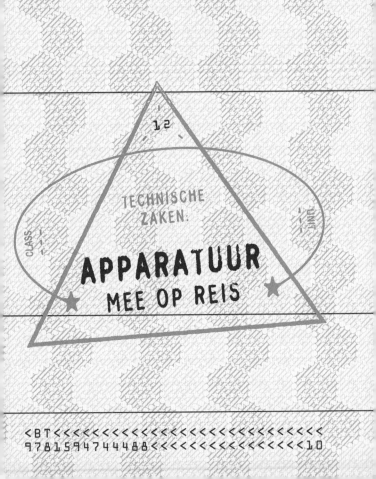

12

TECHNISCHE
ZAKEN:

CLASS

LIMIT

APPARATUUR
MEE OP REIS

FOTOVOORPRET Al voor we op vakantie gaan, zijn we bezig met het fotoverslag van onze reis. We nemen een leeg fotomapje en geven dat een titel, bijvoorbeeld 'Kerstcruise 2011'. Vervolgens verdelen we het mapje onder in de verschillende havens die we onderweg aandoen plus andere bijzondere aspecten van de reis. Dan stoppen we een lege geheugenkaart van 1 GB in het toestel en maken een foto van de titel. Deze dient later als 'omslag' wanneer we onze vakantiefoto's als diavoorstelling gaan bekijken.

Fred

DE DIGITALE TOILETTAS Wij doen alle adapters, laders, accu's, iPods, camera's en mobiele telefoons samen in een toilettas, die we onze technotas hebben gedoopt. Zo hebben we niet alleen alle apparatuur handig bij elkaar, maar kunnen we deze spullen zo nodig ook redelijk veilig in de auto laten liggen, omdat niemand zal vermoeden dat er wat anders dan tandpasta en shampoo in de toilettas zit.

Walter

OP DE VOET GEVOLGD Met een online reisdagboek op bijvoorbeeld waarbenjij.nu weten vrienden en familie altijd precies waar u bent. Als u zelf geen laptop bij u heeft, kunt u bijna overal wel een internetcafé vinden waar u uw blog kunt updaten met tekst en foto's.

Monica

CAMERA IN EEN JASJE Kleine digitale camera's worden vaak niet meer geleverd met een bijbehorend draagtasje. Voor onze Canon Elph gebruiken we een sokje van onze kleindochter. Door de opvallende, felle kleur van de sok hebben we het toestel in de tas zo gevonden.

Margo

TOVERSTICK<<<<<<<<<<<<<

Ik neem altijd een mini-USB-stick mee waarop ik de contactgegevens van onze zorg- en reisverzekeraar heb opgeslagen, reserveringsgegevens, de codes van onze creditcards en belangrijke adressen en telefoonnummers. De stick bewaar ik in een vakje met rits in mijn handtas. Ook als ik mijn laptop niet bij me heb, kan ik deze gegevens in de meeste hotels of in een internetcafé zo tevoorschijn toveren.

Irene

BERICHT AAN MEZELF Alle praktische reistips die ik op het internet vind, kopieer ik en mail ik naar mezelf. Enkele dagen voor vertrek lees ik alle informatie die ik heb verzameld door, kies eruit wat voor deze reis van belang is en stuur deze ingekorte versie als tekstbericht naar mijn eigen mobiele telefoon, zodat ik onderweg alle informatie bij de hand heb.

Conny

CLICK-CLACK Een koptelefoon in de vorm van oordopjes past prima in een mini-bandenplakdoosje. Hierin zijn uw dopjes beschermd en raken de snoertjes niet in de war. Bovendien past het doosje gemakkelijk in een jaszak of handtas.

Melanie

GEHEUGENSTEUNTJE Bij de Apple Store zijn kabeltjes te koop waarmee u foto's van uw digitale camera naar uw iPod kunt overzetten, zodat u weer volop geheugenruimte op uw camera heeft. Uw iPod fungeert als tijdelijke opslag tot u alle foto's thuis op uw computer kunt downloaden.

Danny

VOOR NOPPES Zoals u in Nederland bij veel bibliotheken gratis gebruik kunt maken van een computer, met toegang tot het internet, kunt u in Californië en Hawaï (en in meer dan 25 andere staten in Amerika) van dezelfde service gebruikmaken in een aantal warenhuizen van Kmart en Sears Grand. Enorm handig voor wie zonder laptop reist.

Vincent

NIET VERGETEN Al vele malen was ik de lader van mijn mobiele telefoon in een hotel vergeten. Om te zorgen dat dit niet weer zou gebeuren, heb ik op een kaartje in grote zwarte letters 'lader' geschreven en dit aan de binnenkant op de bodem van mijn koffer vastgeplakt. Als ik nu mijn spullen weer moet inpakken, is mijn lader het eerste waar ik aan denk. Het werkt zo goed dat ik voor ons allemaal zo'n kaartje heb gemaakt.

Ingrid

'OSLO, DAG 1...' Als u een digitale fotocamera met video-mogelijkheid heeft, kunt u nadat u een foto heeft gemaakt iets inspreken, zodat u later weet waar u de foto heeft genomen.

Courtney

HOUD DE DIEF Een sleutelzoeksysteem met geluidssignaal kunt u behalve voor het terugvinden van uw sleutels ook gebruiken als alarmsysteem. De zender draagt u gewoon bij u, maar het gedeelte dat u anders aan uw sleutelbos bevestigt, verstopt u nu in uw koffer, handtas of cameratas. Als u ziet dat een dief er met uw spullen vandoor wil gaan, drukt u op de knop van de zender, waarna hij of zij de schrik van zijn leven zal krijgen.

Nick

MET Z'N ALLEN Nadat ik in Parijs de lader van mijn iPod was vergeten, in New York de oplaadbare batterijen van mijn fototoestel en op Bali de adapter van mijn laptop, besloot ik in het vervolg een stekkerdoos mee te nemen. Zo heb ik alle laders en adapters bij elkaar en hoef ik maar aan één ding te denken.

Jim

HOP, STOP! Met een pda of smartphone kunt u onderweg hopstop.com/pda raadplegen voor informatie omtrent openbaarvervoersverbindingen in New York, Londen en tal van andere plaatsen in Amerika, Canada en Europa.

Liza

HANDVAST Als ik mijn mobiel moet opladen op een hotelkamer, wikkel ik het snoer van de lader eerst een paar keer om het handvat van mijn koffer, die ik vervolgens in de buurt van een stopcontact zet. Zo ligt mijn telefoon tijdens het opladen op een veilig plekje en zal ik ook mijn lader niet gauw vergeten.

Luna

ALLES IN ÉÉN Als u apparatuur in uw handbagage meeneemt, vergeet dan niet om in dezelfde tas ook alle laders en
adapters te doen. Op onze reis naar Afrika zat het fototoestel in
de handbagage, maar alle bedrading in de koffers, die zoek zijn
geraakt en nooit zijn aangekomen in Tanzania. We hadden wel
een camera, maar geen mogelijkheid deze op te laden omdat er
ter plekke geen passende oplader te koop was.

Raymond

PICASA SU CASA We hebben een vrij goedkoop digitaal
fototoestel en onze kiekjes zijn algauw onscherp of overbe-
licht. Dit is echter geen probleem, want we bewerken de foto's
later met de gratis Picasasoftware van Google. We hoeven
alleen maar de foto's op de computer over te zetten, waarna ze
automatisch via Picasa worden geopend. De afbeeldingen zijn
eenvoudig te bewerken door een mooiere uitsnede te selecte-
ren en het beeld scherper, lichter of juist donkerder te maken.
Onze kinderen zijn er vaak al mee klaar voordat de koffers
goed en wel zijn uitgepakt.

Vic

HOOFDSTUK DERTIEN

INSECTEN- EN ANDERE PLAGEN.

VOORKOMEN EN GENEZEN OP REIS

IMMIGRATION 13

<BT<<<<<<<<<<<<<<<<<<<<<<<<<<<<<
9781594744488<<<<<<<<<<<<<<<10

REISZIEKTE AAN BANDEN Ik heb altijd acupressuur-polsbandjes van Sea-Band bij me, die reisziekte helpen voorkomen of in elk geval verminderen. Ze zijn me al vaak van pas gekomen: in de bus, tijdens een reis door Costa Rica; op zee, tijdens een walvisexcursie in Maine; en in het vliegtuig, toen we lang moesten rondcirkelen voor we toestemming kregen om te landen.

Britt

CULTUUR PROEVEN Tijdens een verblijf in het buitenland kan uw maag het zwaar te verduren krijgen door het soms onbekende voedsel. Yoghurt met *Lactobacillus acidophilus* beschermt uw maag en bevordert de spijsvertering. Wij eten zo mogelijk direct na aankomst een portie van deze yoghurt of een vergelijkbaar probiotisch product.

Laura

EEN ZACHT SCHILD Doekjes met een wasverzachtende werking, die in de droger aan het wasgoed kunnen worden toegevoegd, zijn ook handig als schild tegen mieren. Als u ergens in de buurt van een mierennest blijkt te zitten, leg dan gewoon wat van deze doekjes op strategische plekken. U zult van mieren dan geen last meer hebben.

Jasmine

EHBO Als we op reis zijn met de kinderen, heb ik de volgende vier dingen altijd bij me: een antiallergiemiddel, ibuprofen voor kinderen, een medicijnmaatbekertje en een thermometer. Dit eerstehulppakket biedt uitkomst bij kleine kwaaltjes, en bij ernstiger gevallen helpt het uw kind de nacht door, zodat u de volgende dag een arts kunt bellen en niet om twee uur 's nachts op zoek hoeft naar een 24 uursapotheek.

Martha

KLARE TAAL Als een van uw gezinsleden lijdt aan een ernstige vorm van allergie, is het meer dan raadzaam om u goed voor te bereiden als u naar een land reist waarvan u de taal niet spreekt. Op selectwisely.com kunt u geplastificeerde kaartjes bestellen waarop dergelijke belangrijke informatie in bijna alle talen gedrukt kan worden, eventueel voorzien van een plaatje, zodat u in elke situatie duidelijk kunt maken wat u bedoelt.

Gaby

FRISSE VOETEN Om blaren te voorkomen kunt u, vlak voor een wandeltocht, een deodorantspray met antitranspirerende werking gebruiken rond de enkels en de hiel. Het werkt precies hetzelfde als onder de oksels: het voorkomt dat u gaat zweten, en zweet in combinatie met wrijving veroorzaakt blaren. Het klinkt misschien raar, maar het werkt echt!

Sam

TEGEN GAATJES<<<<<<<<

Op vakantie in Duitsland werd
mijn man gestoken door een bij.
Een Duitser raadde aan tandpasta
op de plek van de steek te smeren.
Resultaat: geen zwelling, branderig
gevoel of zelfs maar jeuk!

Iris

ZOET MEDICIJN Gekonfijte gember is niet alleen een lekker tussendoortje, maar helpt ook bij reisziekte. Op sommige cruiseschepen wordt gember wel als afterdinner aangeboden. Op de weg, in de lucht en op zee: we hebben altijd een voorraadje bij ons.

Alice

GOEDE NACHTRUST VERZEKERD Ik had ergens gelezen dat lang niet alle hotels in Zuid-Amerika horren voor de ramen hebben. Omdat ik niet door zoemende en stekende insecten uit mijn slaap gehouden wilde worden, heb ik een rol afplaktape en wat fijnmazige tule in mijn koffer meegenomen en daar de ramen mee beveiligd. Met de ramen open, voor frisse lucht, hebben we heerlijk ongestoord kunnen slapen.

Ella

DE HOGE C Neem wanneer u op reis gaat een multivitamine-preparaat in poedervorm mee. Als u wel een opkikkertje kunt gebruiken, hoeft u alleen maar een afgepaste hoeveelheid in water op te lossen. Er zijn ook vitaminepoeders speciaal voor kinderen.

Nicole

WONDERBALSEM Als ik op reis ga, neem ik altijd een lippenbalsem op basis van bijenwas mee. Die is niet alleen ideaal voor droge en schrale lippen, maar kan in nood ook worden aangebracht op de neus als zonnebrandcrème en als vocht-inbrengende crème rond de ogen. Bovendien voorkomt de balsem blaren op handen en voeten.

Sita

DE VOEDSEL- EN WARENEXPERT<<<

Ik kom vaak in India, waar ik graag
de minder toeristische plekken bezoek.
In het buitenland is het echter niet
altijd verstandig om zomaar ergens
wat te eten en drinken. Als u wilt
weten in welke restaurants goed op
de hygiëne wordt gelet, kunt u dit
het beste vragen bij een apotheek
in de buurt.

Ronald

VOORKOMEN IS BETER... Door de voortdurend gerecyclede lucht zijn vliegtuigen ware verzamelplekken voor virussen. Een antivirale neusspray of -gel helpt om de virussen wat op afstand te houden.

Lucia

BEPLAKT EN BEZAKT Antimuggenpleisters werken niet alleen op onze huid, maar zijn ook goed te gebruiken op tassen. Op de camping zijn ze dan ook ideaal om insecten te weren uit tassen met toiletspullen, kookgerei en levensmiddelen. Toen we kortgeleden in het regenwoud in Costa Rica waren, plakte ik ook elke avond een pleister op het tafeltje naast mijn bed. 's Ochtends bleek ik steeds de enige te zijn die niet was gestoken.

Tiffany

VIERPOTIGE MEDEPASSAGIERS Bij het inchecken vraag ik altijd of er ook dieren aan boord zijn. Niet onverstandig als u allergisch bent of een van uw gezinsleden dat is. Tijdens een acht uur durende vlucht zat ik ooit vlak voor iemand die een kat bij zich bleek te hebben. Het vliegtuig was helaas volgeboekt en met iemand van plaats wisselen was niet meer mogelijk.

Robin

BACTERIËN IN DE BAN Wordt u op reis ook altijd verkouden? Maak korte metten met bacteriën en neem desinfecterende doekjes mee om veelgebruikte oppervlakken schoon te maken. Denk bijvoorbeeld aan het opklaptafeltje en de stoelleuningen in het vliegtuig of de telefoon, afstandsbediening en kranen in uw hotelkamer.

Tina

BESCHERMENDE KLEDING<<<

Wanneer we door een gebied reizen waar malaria heerst of waar veel insecten (vooral teken) zijn, behandel ik onze kleding – behalve die direct op de huid wordt gedragen – met een Deetspray. Dit middel blijft zo'n acht uur lang effectief. Het werkt geweldig, maar wees voorzichtig en houd de behandelde kleren apart.

Wilma

MEER LUCHT IN DE LUCHT Als u gauw last heeft van droge lucht in bijvoorbeeld vliegtuigen, gebruik dan voor u instapt een neusspray met zoutoplossing. Ik heb het altijd bij me voor mezelf en mijn dochter van tien, die allergiegevoelig is.

Patricia

DE JEUK WEG WASSEN Een muggenbeet is goed te behandelen met een vloeibaar wasmiddel. Het voorkomt dat de plek gaat jeuken of opzwellen. Na twee dagen is er ook niets meer van de steek zien. Deze tip kreeg ik van mijn vriend tijdens onze reis door Vietnam.

Elizabeth

HOOFDSTUK VEERTIEN

BUDGET TRAVEL

TIJD VOOR EEN POETSBEURT:

VAKANTIE-
VUIL

[14]

<BT<<<<<<<<<<<<<<<<<<<<<<<<<<<<<
9781594744488<<<<<<<<<<<<<<<<10

GEHEIME VOORRAAD Als u een plastic zak zoekt voor uw natte zwemspullen of een vieze luier, kijk dan eens onder in het afvalemmertje in uw hotelkamer. Het kamermeisje bewaart hierin vaak wat extra vuilniszakjes.

Wendy

DE VUILE WAS BUITEN Wanneer we met ons gezin op vakantie gaan, nemen we allemaal onze eigen koffer op wieltjes mee, plus een opvouwbare wasmand voor algemeen gebruik. Voor vertrek stoppen we alle vuile was in één koffer en verdelen de nog schone kleren over de resterende koffers.

Melanie

STROOISEL De ideale manier om wat los waspoeder mee te nemen op vakantie is om een leeg kruidenpotje met strooigaten schoon te maken en te vullen met het poeder. Als u dan kleding wilt wassen, kunt u zo wat waspoeder in de wasbak strooien.

Sharon

BROODNODIG Bewaar lege broodzakken en stop er de schoenen van uw kinderen in voordat u ze bij de rest van uw spullen in uw koffer doet.

Gita

ÉÉN POT NAT Voor mijn vakantie in Costa Rica heb ik een kleine, waterdichte tas aangeschaft, zoals die wel wordt gebruikt tijdens kajaktochten. Hierin borg ik nat geworden kleding op zodat de rest van mijn kleren droog bleef.

Claudia

VISUELE REISZIEKTE Een stevig plastic tasje kan in veel situaties van pas komen. Ik heb er altijd een bij me in mijn tas. Zo ook toen ik met mijn zevenjarige dochter naar een IMAX-film ging. De digitale projectie in 3D van berglandschappen deed onze hoofden en magen duizelen en ik vond het een prettig idee om voor nood iets bij me te hebben.

Diane

VLEKKENVERWIJDERAAR<<<<<<<

Vlekken op kleding moeten zo snel mogelijk worden verwijderd. Een handig middeltje tegen vele soorten vlekken dat u ook op vakantie bij u heeft, is shampoo. Doe een paar druppels op de vlek, laat even intrekken en spoel uit met lauw water.

Vicky

SCHOON OP ZEE<<<<<<<<

Leg een doekje met wasverzachtende werking tussen uw kleren wanneer u inpakt. Het absorbeert geurtjes en vocht en zorgt ervoor dat uw kleding ruikt alsof die net is gewassen. Het werkt het beste in een warm, vochtig klimaat, en op zee, zoals ik weet uit mijn tijd bij de marine.

Bob

VOOR BILLEN EN BRILLEN Babydoekjes zijn in veel opzichten handig. Ze zijn vaak zo verpakt dat je ze gemakkelijk kunt meenemen en ideaal om veelgebruikte oppervlakken schoon te vegen, van toiletbrillen tot deurklinken. Ook handig om snel een vlek uit kleding te verwijderen.

Ellis

NIET ZEEPVRIJ In elke reistas stop ik een of twee stukjes zeep, zelfs in de tas voor de vuile was. Onze kleren blijven zo lekker ruiken en een stukje zeep komt altijd van pas.

Thomas

VOOR DE GROTE BOODSCHAP Een kwart rol toiletpapier past platgedrukt uitstekend in een plastic boterhamzakje, waar het droog en schoon in blijft. Stop het weg in uw handbagage of fotocameratas, zodat u het onderweg, precies wanneer u het nodig mocht hebben, bij de hand heeft.

Albert

KLEDINGPAKKET In veel hotelkamers vindt u een plastic waszak met treksluiting. Deze zak is ideaal om uw vuile kleren mee terug naar huis te nemen. Stop de was in de zak en leg deze op het bed. Door erbovenop te gaan zitten, perst u alle lucht eruit, zodat u een pakketje van minimale afmetingen krijgt.

Lori

HOOFDSTUK VIJFTIEN

SOUVENIRS
EN VAKANTIE-
KIEKJES:

UW
BELEVENISSEN
VASTLEGGEN

15

\<BT\<\<\<\<\<\<\<\<\<\<\<\<\<\<\<\<\<\<\<\<\<\<\<\<\<\<\<\<
9781594744488\<\<\<\<\<\<\<\<\<\<\<\<\<\<\<10

FOTOSHOOT OP LOCATIE Voor we op vakantie gaan, zoek ik uit waar een goede fotograaf zit in of rond de plaats waar we naartoe gaan. Tegen het eind van de vakantie laten we dan foto's maken van ons samen, als gezin. Het resultaat is altijd anders en origineler dan het standaard studioportret, en wij zijn verzekerd van een mooie vakantieherinnering.

‹

Rachel

GEEN POSTZEGEL NODIG Om onze kinderen te stimuleren een reisdagboek bij te houden, hebben we het volgende bedacht: elke dag mogen ze een ansichtkaart uitzoeken waarop ze 's avonds hun belevenissen van die dag kunnen schrijven. Thuis voegen we de kaarten van ieder afzonderlijk met een sleutelring samen tot boekjes.

Nathalie

GOED PLAN In attractieparken en dierentuinen krijgen bezoekers vaak gratis plattegrondjes. In plaats van deze na afloop weg te gooien, kunt u ze laten lamineren om te gebruiken als placemat of als muurdecoratie op de kinderkamers.

Sandra en Bert

MUZIKALE REIS Op vakantie over de grens koop ik altijd wat cd's. Niet de volksmuziek die in toeristenwinkels wordt verkocht (en waar ik over het algemeen niet van houd), maar muziek van een plaatselijke pop- of rockband. Terwijl souvenirs vaak verstoffen, worden deze cd's bij ons juist vaak afgespeeld. We zijn dan weer even op vakantie.

Joshua

ALLE SEIZOENEN KERST Onze kinderen kopen het liefst kerstdecoraties als souvenir, maar soms is het daar gewoon de tijd niet voor en is er niets te vinden. Dan mogen ze een sleutelhanger uitzoeken. Thuis vervangen we de sleutelring door een kleurig lint om het souvenir met kerst in de boom te kunnen hangen.

Laura en Ron

WINNENDE FOTO Toen onze kinderen nog kleiner waren, gaven we ieder aan het begin van de vakantie een wegwerpcamera. We kondigden vervolgens een fotowedstrijd af met verschillende categorieën – eten en drinken, voorwerpen aan het strand, zonsondergangen, enzovoort – met prijzen voor de beste foto binnen elke categorie.

Cecile

GOEDE PAPIEREN Van elke vakantie maken we een plakboek met daarin restaurantmenu's, toegangskaartjes en ansichtkaarten. Verder gebruiken we oude reisgidsen en -tijdschriften, die anders toch maar worden weggegooid. De foto's, beschrijvingen en plattegronden van plaatsen die we zelf hebben bezocht, knippen we uit en nemen we mee voor in het boek.

Henry en Caroline

KLINKENDE MUNT Mijn zoon van acht verzamelt souvenirmunten, van het soort dat je zelf maakt door een muntje in een automaat te gooien. Door de hendel rond te draaien pers je de afbeelding in de munt, die er plat en ovaal weer uit komt. Zodra onze vakantiebestemming bekend is, gaat mijn zoon vol enthousiasme kijken op pennycollector.com of daar in de buurt ook muntmachines te vinden zijn.

Alex

ONDERWATERFOTOGRAFIE Omdat we tijdens onze vakantie op Hawaï vooral wilden snorkelen, had ik thuis alvast een paar wegwerponderwatercameraatjes gekocht. Bij Kruidvat zijn ze bijvoorbeeld veel goedkoper dan op Hawaï en op hun website staan bovendien nog wat handige tips voor het maken van foto's onder water.

Anita

ONTMOETING HALVERWEGE Op vakantie houden mijn man en ik samen een dagboek bij waarin we onze gedachten en belevenissen noteren. De een begint vooraan in het reisboek te schrijven, de ander achteraan. Pas als we weer thuis zijn, lezen we wat de ander heeft geschreven. Het is vaak verrassend hoe verschillend we de dingen hebben beleefd. We lachen heel wat af tijdens het lezen!

Claudia

MOTIEVENSPEL Als we een verre reis maken, koop ik voor we weggaan een kleurige lap stof met een toepasselijk motief om tijdens de vakantie te gebruiken als tafel- en picknickkleed. Zo koos ik voor onze reis naar Afrika zebra's als motief en voor Costa Rica waren het hagedissen. Thuis knip ik een stukje uit de stof en plak dit voor op het fotoalbum, zodat het direct herkenbaar is.

Karen

COLLECTIEF GEHEUGEN Tussen oude papieren vond ik onlangs dagboeken uit 1927 van een reis die mijn familie door Europa en Palestina had gemaakt. Ze waren niet geschreven door één persoon, maar door de hele familie, drie generaties. Het was fascinerend om de verschillende verslagen te lezen. Als wij voortaan zelf met een grotere groep familie gaan reizen, zal ik iedereen stimuleren ook bij te dragen aan zo'n gezamenlijk dagboek.

Barbara

ORIGINELE VERPAKKING Op reis kijk ik altijd of ik ergens pakpapier kan vinden met afbeeldingen die typerend zijn voor het land of de streek. In Australië waren het koala's en kangoeroes, op Hawaï surfers en hoeladanseressen. Het papier gebruik ik om de souvenirs voor het thuisfront in te pakken.

Lydia

INVULOEFENING Voor ons bezoek aan Londen had ik een reisdagboekje gemaakt met daarin onder andere invulpagina's met kopjes als 'Onbekend eten dat ik heb geproefd', 'Het lekkerste snoep', 'Woorden die ik heb geleerd' en 'Het leukste/saaiste museum'. Mijn dochter vond het erg leuk om erin te schrijven.

Valerie

PROEVEN VAN DE WERELD Voor familie en vrienden brengen we geen souvenirs mee van onze reizen, maar kopen we een kookboek met gerechten uit de streek die we hebben bezocht. Terug van vakantie nodigen we vrienden en familie uit voor een cultureel etentje, waarbij we onze foto's laten zien en hun een aantal gerechten voorschotelen uit dit kookboek.

Mandy

NUTTIGE NASLAGWERKEN Al sinds jaar en dag houden we in kleine notitieboekjes een overzicht bij van onze trips en vakanties. We noteren de bestemmingen en data, waar we onderweg zijn gestopt om te tanken of wat te eten, in welke B&B's of hotels we hebben overnacht (en wat we ervoor betaald hebben), welke route we hebben genomen en alles wat we onderweg hebben gezien. Deze aantekeningen vormen handige geheugensteuntjes.

Ada

FAMILIEFILM Op vakantie mogen onze kinderen zelf video-opnames maken met onze Flipcamcorder. Flips zijn relatief goedkoop en eenvoudig te bedienen. 's Avonds bekijken we hun opnamen en zetten we wat we willen bewaren over op onze laptop. Met de FlipSharesoftware kunnen we er filmpjes van maken die we op onze eigen website plaatsen, waar ze enthousiast worden bekeken door onze familie en vrienden.

Edward

PERSOONSGEBONDEN BERICHTEN Toen we kortgeleden in Italië op vakantie waren, hebben we voor de gein een Italiaanse krant als pakpapier gebruikt, waarbij we voor elk cadeau ook een passende nieuwspagina hebben uitgezocht, met bijvoorbeeld een foto van een voetballer voor een voetballend familielid. De ontvangers waren bijna net zo blij met de verpakking als met het cadeautje zelf!

Sophie

OVER DE AUTEURS De tips in dit boek werden onder andere aangedragen door de lezers van het Amerikaanse reismagazine *Budget Travel*. Ze zijn nageplozen en geselecteerd uit de duizenden tips die we in de loop der jaren hebben ontvangen en die hopelijk zullen blijven binnenstromen.